CREPÚSCULO DOS ÍDOLOS

NIETZSCHE

CREPÚS CULO DOS ÍDOLOS

Camelot
EDITORA

CONHEÇA NOSSO LIVROS
ACESSANDO AQUI!

Copyright desta tradução © IBC - Instituto Brasileiro De Cultura, 2022

Título original: Götzen-Dämmerung oder Wie man mit dem Hammer philosophirt.
Reservados todos os direitos desta tradução e produção, pela lei 9.610 de 19.2.1998.

4ª Impressão 2025

Presidente: Paulo Roberto Houch
MTB 0083982/SP

Coordenação Editorial: Priscilla Sipans
Coordenação de Arte: Rubens Martim (capa)
Produção Editorial: Eliana Nogueira
Diagramação: Rogério Pires
Revisão: Mariângela Belo da Paixão
Tradução e preparação de texto: Fábio Kataoka

Vendas: Tel.: (11) 3393-7727 (comercial2@editoraonline.com.br)

Foi feito o depósito legal.
Impresso na China

Dados Internacionais de Catalogação na Publicação (CIP)
de acordo com ISBD

N677c   Nietzsche, Friedrich
         Crepúsculo dos Ídolos / Friedrich Nietzsche. - Barueri :
         Camelot Editora, 2023.
         80 p. ; 15,1cm x 23cm.

         ISBN: 978-65-80921-34-8

         1. Filosofia alemã. I. Título.

2023-1130   CDD 193
                            CDU 1(43)

Elaborado por Vagner Rodolfo da Silva - CRB-8/9410

IBC — Instituto Brasileiro de Cultura LTDA
CNPJ 04.207.648/0001-94
Avenida Juruá, 762 — Alphaville Industrial
CEP. 06455-010 — Barueri/SP
www.editoraonline.com.br

SUMÁRIO

INTRODUÇÃO 7

PROVÉRBIOS E SETAS 11

O PROBLEMA DE SÓCRATES 16

A "RAZÃO" NA FILOSOFIA 21

COMO O MUNDO VERDADEIRO ACABOU
VIRANDO UMA FÁBULA – HISTÓRIA DE UM ERRO 25

A MORAL ENQUANTO MANIFESTAÇÃO
CONTRA A NATUREZA 27

OS QUATRO GRANDES ERROS 31

OS MELHORADORES DA HUMANIDADE 37

O QUE FALTA AOS ALEMÃES 40

RISCOS INOPORTUNOS 45

O QUE DEVO AOS ANTIGOS 75

O MARTELO FALA 79

Por sua origem, a linguagem pertence à época das formas mais rudimentares da psicologia: penetramos num grosseiro fetichismo quando tomamos consciência das condições primeiras da metafísica da linguagem, isto é, da razão.

NIETZSCHE

INTRODUÇÃO

Crepúsculo dos Ídolos, ou Como Filosofar com o Martelo é a penúltima obra de Nietzsche, publicada em 1888, pouco antes de o filósofo perder a razão. O título é uma paródia da ópera de Wagner, Crepúsculo dos Deuses. O martelo é para destroçar os ídolos, e também representa o diapasão, que ao tocar as estátuas dos ídolos, comprova que são ocos.

Representa uma síntese introdutória de toda a sua obra. É uma guerra contra os "deuses", uma crítica a todo tipo de idolatria, às ilusões antigas e novas do ocidente: à moral cristã, aos grandes equívocos da filosofia, às ideias e tendências modernas e aos seus mentores.

Os ataques de Nietzsche incluem: o perspectivismo, o aristocratismo, o realismo ante a sexualidade, o materialismo, a abordagem psicológica de artistas e pensadores, o antigermanismo e a misoginia.

Retrato de Friedrich Nietzsche, 1882.
Foto capturada por Gustav Schultze.

PREFÁCIO

Conservar a sua serenidade frente a algo sombrio, que requer responsabilidade além de toda medida, não é algo que exige pouca habilidade: e, no entanto, o que seria mais necessário do que a serenidade? Nada chega efetivamente a vingar, sem que a altivez aí tome parte. Somente um excedente de força é demonstração de força. — Uma reavaliação de todos os valores, este ponto de interrogação tão negro, tão monstruoso, que chega até mesmo a lançar sombras sobre quem o instaura — um tal destino de tarefa nos obriga a todo instante a correr para o sol, a sacudir de nós mesmos uma seriedade que se tornou pesada, por demais pesada. Qualquer meio para tanto é correto, qualquer "caso", um golpe de sorte. Sobretudo a guerra. A guerra sempre foi a grande prudência de todos os espíritos que se tornaram por demais ensimesmados, por demais profundos; a força curadora está no próprio ferimento. Uma sentença, cuja origem mantenho oculta frente à curiosidade douta, tem sido há muito meu lema:

Increscunt animi, virescit volnere virtus.
(Os espíritos crescem e a virtude floresce, à medida que é ferida)

Uma outra convalescença, que sob certas circunstâncias é para mim ainda mais desejável, consiste em auscultar os ídolos... Há mais ídolos do que realidades no mundo: esse é o meu "mau olhado" em relação a este mundo, bem como meu "mau ouvido"... Há que se colocar aqui ao menos uma vez questões com o martelo, e, talvez, escutar como resposta aquele célebre som oco, que fala de vísceras intumescidas — que encanto para aquele que possui orelhas por detrás das orelhas —, para mim, velho psicólogo e caçador de ratos que precisa falar em voz alta exatamente quando gostaria de permanecer em silêncio...

Também este escrito — o título o denuncia — seja antes de tudo um repouso, um feixe de luz solar, uma escorregadela para o seio do ócio de um psicólogo. Talvez mesmo uma nova guerra? E novos ídolos são auscultados?... Este pequeno escrito é uma grande declaração de guerra; e no que concerne à ausculta dos ídolos, é importante ressaltar que os que estão em jogo, os que são aqui tocados com o martelo como com um diapasão, não são os ídolos em voga, mas os eternos — em última análise, não há de forma alguma ídolos mais antigos, mais convencidos, mais insuflados... Também não há de forma alguma ídolos mais ocos... Isto não impede que eles sejam aqueles nos quais mais se acredita; diz-se também, sobretudo no caso mais nobre: que eles não são de modo algum ídolos...

TURIM, 30 de setembro de 1888,
no dia em que chegou ao fim
o primeiro livro da reavaliação
de todos os valores.

FRIEDRICH NIETZSCHE

PROVÉRBIOS E SETAS

1
O ócio é o começo de toda psicologia. Como? A psicologia seria um vício?

2
Mesmo o mais corajoso de nós poucas vezes tem coragem para afirmar o que propriamente sabe...

3
Para viver sozinho, é preciso ser um animal ou um deus — diz Aristóteles. Falta ainda a terceira alternativa: é preciso ser os dois ao mesmo tempo — um *filósofo*...

4
"Toda verdade é simples (unívoca)." Isto não é duplamente uma mentira?

5
De uma vez por todas, não quero saber muitas coisas. A sabedoria também traz consigo os limites do conhecimento.

6
É em nossa natureza selvagem que melhor nos restabelecemos de nosso movimento antinatural, de nossa espiritualidade...

7
Como? O homem é apenas um erro de Deus? Ou Deus é apenas um erro do homem?

8
Da Escola de Guerra da Vida: o que não me mata torna-me mais forte.

9
Ajuda-te a ti mesmo: assim todos te ajudarão. Princípio do amor ao próximo.

10
Que não se venha a cometer nenhuma covardia contra as próprias ações! Que não as abandonemos em seguida! O remorso é indecente.

11
Um asno pode ser trágico? Há como perecer sob um peso que não se pode nem carregar, nem lançar fora?... O caso do filósofo.

12
Quando se possui o "porquê" da vida, então se suporta quase todo "como". O homem não aspira à felicidade; apenas os ingleses o fazem.

13
O homem criou a mulher. Com que, afinal? Com uma costela de seu deus e de seu ideal...

14
O que tu procuras? Tu gostarias de te decuplicar, de te centuplicar? Tu procuras adeptos? Procuras zeros!

15
Os homens póstumos — eu, por exemplo — são menos compreendidos do que os homens ligados ao seu próprio tempo, mas melhor ouvidos. Mais exatamente: nunca somos compreendidos e é daí que provém a nossa autoridade...

16
Entre mulheres — "A verdade? Oh, vós não conheceis a verdade! Afinal, a verdade não é um atentado contra todos os nossos pudores?"

17
Eis aí um artista como aprecio: modesto em suas necessidades. Só quer efetivamente duas coisas: seu pão e sua arte, *panem et Circen...*

18
Quem não sabe colocar sua vontade nas coisas ainda insere nelas ao menos um sentido: isto é, crê que uma vontade já esteja nelas (princípio da "fé").

19
Como? Vós escolhestes a virtude e o peito estufado, mas olhais ao mesmo tempo invejosamente para as vantagens dos inescrupulosos? Com a virtude renuncia-se, contudo, às "vantagens"... (escrito na porta da casa de um antissemita.)

20
A mulher perfeita pratica a literatura como pratica um pecadilho: a título de experiência, de passagem, olhando em torno de si para ver se alguém a nota e a fim de que alguém a note...

21
Não devemos nos inserir senão em situações nas quais não é permitido ter nenhuma virtude aparente; nas quais, como o funâmbulo sobre a sua corda, ou caímos ou nos mantemos — ou o que vier daí...

22
"Homens maus não têm canções." Mas como é que os russos têm canções?

23
"O espírito alemão": há dezoito anos uma *contradictio in adjecto*.

24
À medida que buscamos as origens, vamos nos tornando caranguejos. O historiador olha para trás; até que finalmente também "acredita" para trás.

25
A satisfação protege até mesmo contra resfriados. Uma mulher que se soubesse bem vestida teria alguma vez se resfriado? Falo do caso em que ela quase não estava vestida.

26
Desconfio de todos os sistemáticos e me afasto de seus caminhos. A vontade do sistema é uma falta de retidão.

27
Considera-se a mulher profunda. Por quê? Porque nela nunca se chega ao fundo. A mulher não é nem mesmo rasa.

28

Quando a mulher possui virtudes masculinas, não nos resta senão nos evadirmos; e quando ela não possui nenhuma virtude masculina, ela mesma se evade.

29

"Outrora, quanto a consciência tinha de morder? Que bons dentes ela possuía? E hoje? Quantos lhe faltam?" — pergunta de um dentista.

30

Raramente cometemos uma única imprudência. Na primeira imprudência, faz-se sempre demais. Exatamente por isso comete-se habitualmente ainda uma segunda. Daí por diante faz-se então muito pouco...

31

O verme se enconcha quando é chutado. Essa é a sua astúcia. Ele diminui com isso a probabilidade de ser novamente chutado. Na linguagem da moral: humildade.

32

Há um ódio à mentira e à dissimulação que nasce de uma apreensão sensível da honra. Há um ódio exatamente como esse que nasce da covardia, visto que a mentira é proibida por um mandamento divino. Covarde demais para mentir...

33

Quão poucas coisas são necessárias para a felicidade! O som de uma gaita. Sem música a vida seria um erro. O alemão imagina Deus cantando canções.

34

"Só se pode pensar e escrever sentado" (G. Flaubert). É assim que o apanho, niilista! A pachorra é justamente o pecado contra o Espírito Santo. Só os pensamentos que surgem em movimento têm valor.

35

Há casos em que somos como cavalos, nós psicólogos, e permanecemos inquietos: vemos nossas próprias sombras oscilando diante de nós para cima e para baixo. O psicólogo precisa abstrair-se de si, a fim de que seja, acima de tudo, capaz de ver.

36
Se nós imoralistas fazemos mal à virtude? Tão pouco quanto os anarquistas fazem mal aos príncipes. Somente depois de lhes ter alvejado é que estes se sentam firmemente em seus tronos. Moral: é preciso alvejar a moral.

37
Tu corres à frente? Tu fazes isso como pastor? Ou como exceção? Um terceiro caso seria o desertor... Primeiro caso de consciência.

38
Tu és autêntico? Ou apenas um ator? Um representante? Ou o próprio representado? Por fim, talvez tu não passes da imitação de um ator...Segundo caso de consciência.

39
Fala o desiludido: — Eu procurei por grandes homens, mas sempre encontrei apenas os macacos de seus ideal.

40
Tu és alguém que observa? Ou que coloca as mãos à obra? Ou que desvia o olhar e se põe de lado?... Terceiro caso de consciência.

41
Tu queres acompanhar? Ou ir à frente? Ou ir por sua própria conta?... É preciso saber o que se quer e que se quer. Quarto caso de consciência.

42
Esses eram degraus para mim. Servi-me deles para subir e precisei então passar por cima deles. Mas eles pensavam que queria aquietar-me sobre eles...

43
O que importa que eu tenha razão?!?! Eu tenho por demais razão. E quem hoje ri melhor também ri por último.

44
A fórmula de minha felicidade: um sim, um não, uma linha reta, uma meta...

O PROBLEMA DE SÓCRATES

1

Em todos os tempos os grandes sábios sempre fizeram o mesmo juízo sobre a vida: ela não vale nada... Sempre e por toda parte se escutou o mesmo tom saindo de suas bocas. Um tom cheio de dúvidas, cheio de melancolia, cheio de cansaço da vida, um tom plenamente contrafeito frente a ela. O próprio Sócrates disse ao morrer: "Viver significa estar há muito doente — eu devo um galo a Asclépio curador". O próprio Sócrates estava enfastiado da vida. O que isso demonstra? Para onde isso aponta? Outrora ter-se-ia dito (Oh! Disse-se forte o suficiente; e avante nossos pessimistas!): "Em todo caso é preciso que haja algo verdadeiro aqui! O *consensus sapientium* prova a verdade." Ainda falaremos hoje dessa forma? Nós temos o direito a tal discurso? "Em todo caso é preciso que algo esteja doente aqui" — eis a nossa resposta. Em primeiro lugar temos de observar mais de perto esses mais sábios de todos os tempos! Todos eles talvez não estivessem tão firmes sobre as pernas? Talvez estivessem atrasados? Cambaleantes? Decadentes? Talvez a sabedoria se apresente sobre a terra como um corvo, ao qual um pequeno odor de carniça entusiasma?...

2

Essa irreverência de asseverar que os grandes sábios são tipos decadentes abriu-se para mim mesmo exatamente em uma circunstância na qual mais intensamente o preconceito erudito e não erudito se contrapunham.

Reconheci Sócrates e Platão como sintomas de declínio, como instrumentos da decomposição grega, como falsos gregos, como antigregos ("Nascimento da Tragédia", 1872). Aquele *consensus sapientium* — isto fui compreendendo cada vez melhor — não prova sequer minimamente que eles tinham razão quanto ao que concordavam. O consenso demonstra muito mais que eles mesmos, esses mais sábios, possuíam entre si algum acordo fisiológico para se colocar frente à vida da mesma maneira negativa — para precisar se colocar frente a ela dessa forma. Juízos, juízo de valores sobre a vida, a favor ou contra, nunca podem ser em última instância verdadeiros: eles só possuem o valor como sintoma, eles só podem vir a ser considerados enquanto sintomas. Em si, tais juízos são imbecilidades. É preciso estender então completamente os dedos e tentar alcançar a apreensão dessa finesse admirável, que consiste no fato de o valor da vida não poder ser avaliado. Não por um vivente, pois ele é parte, e até mesmo objeto de litígio, e não um juiz; nem por um morto, por outras razões. Da parte de um filósofo, ver um problema no valor da vida permanece, por conseguinte uma objeção contra ele, um ponto de interrogação quanto a sua sabedoria, uma falta de sabedoria. Como? E todos esses grandes sábios? — Eles não seriam senão decadentes, eles não teriam sido sequer uma vez sábios? Mas eu retorno ao problema de Sócrates.

3

Segundo sua origem, Sócrates pertence à camada mais baixa do povo. Sócrates era plebe. Sabe-se, ainda se pode até mesmo ver, quão feio ele era. Mas a feiura, em si uma objeção, é entre os gregos quase uma refutação. Sócrates era afinal de contas um grego? Muito frequentemente, a feiura é a expressão de um desenvolvimento cruzado, emperrado pelo cruzamento. Em outros casos, ela aparece como desenvolvimento decadente.

Os antropólogos que lidam com criminologia dizem-nos que o criminoso típico é feio: *monstrum in fronte, monstrum in animo*. O criminoso é um *décadent*. Sócrates era um típico criminoso? Ao menos não o contradiz aquele famoso juízo-fisionômico que soava tão escandaloso aos amigos de Sócrates. Um estrangeiro, que entendia de rostos, disse certa vez na cara de Sócrates, ao passar por Atenas, que ele era um monstro e escondia todos os vícios e desejos ruins em si. E Sócrates respondeu simplesmente: "Vós me conheceis, meu Senhor!"

4

Em Sócrates, a desertificação e a anarquia estabelecidas no interior dos instintos não são os únicos indícios da decadência, superfetação do lógico e aquela maldade de raquítico, que o distinguem, também apontam para ela. Não nos esqueçamos mesmo daquelas alucinações auditivas que, sob o nome de o "Daimon de Sócrates", receberam uma interpretação religiosa. Tudo nele é exagerado, bufão, caricatural. Tudo é ao mesmo tempo oculto, cheio de segundas intenções, subterrâneo. Procuro compreender de que idiossincrasia provêm essa equiparação socrática entre Razão = Virtude = Felicidade: essa equiparação que é, de todas as existentes, a mais bizarra, e que possui contra si, em particular, todos os instintos dos helenos mais antigos.

5

Com Sócrates, o paladar grego transforma-se em favor da dialética: o que acontece aí propriamente? Acima de tudo é um gosto nobre que cai por terra. A plebe ascende com a dialética. Antes de Sócrates, recusavam-se as maneiras dialéticas na boa sociedade: elas valiam como más maneiras, elas eram comprometedoras. Advertia-se a juventude contra elas. Também se desconfiava-se de todo aquele que apresentava suas razões de um tal modo. As coisas honestas, tal como as pessoas honestas, não servem suas razões assim com as mãos.

É indecoroso mostrar os cinco dedos. O que precisa ser inicialmente provado tem pouco valor. Onde quer que a autoridade ainda pertença aos bons costumes, onde quer que não se "fundamente", mas sim ordene, o dialético aparece como uma espécie de palhaço: ri-se dele, não é levado a sério. Sócrates foi o palhaço que se fez levar a sério: o que aconteceu aí propriamente?

6

Só se escolhe a dialética quando não se tem mais nenhuma outra saída. Sabe-se que se suscita desconfiança com ela, que ela é pouco convincente. Nada é mais facilmente dissipável do que um efeito dialético: a experiência de toda e qualquer reunião na qual se conversa, o prova. Ela só serve como saída drástica nas mãos daqueles que não possuem nenhuma outra arma. É preciso que se tenha de estabelecer à força o seu direito: antes disso não se faz uso algum dela. Por isso, os judeus eram dialéticos; Reinecke Fucks era dialético. Como? Sócrates também o era?

7

A ironia de Sócrates é uma expressão de revolta? De ressentimento da plebe? Ele goza enquanto oprimido de sua própria ferocidade nas estocadas do silogismo? Ele vinga-se dos nobres que fascina? À medida que se é um dialético, tem-se um instrumento impiedoso nas mãos. Com ele podemos cunhar tiranos e ridicularizar aqueles que vencemos. O dialético lega ao seu adversário a necessidade de demonstrar que não é um idiota: ele o deixa furioso, mas ao mesmo tempo desamparado. O dialético atenua o intelecto de seu adversário. Como? A dialética é apenas uma forma de vingança em Sócrates?

8

Dei a entender como Sócrates pôde ser repulsivo; resta explicar, com maior razão, como pôde fascinar. O primeiro motivo é o seguinte: descobriu uma espécie nova de combate, foi o primeiro mestre de armas nas altas esferas de Atenas. Fascinava tocando no instinto combativo dos gregos — introduziu uma variante nos ginásios entre os jovens e os mais jovens ainda. Sócrates era também um grande erótico.

9

Sócrates desvendou ainda mais. Ele olhou por detrás de seus atenienses nobres; ele compreendeu que seu caso, a idiossincrasia de seu caso, já não era nenhuma exceção. O mesmo tipo de degenerescência já se preparava em silêncio por toda parte. A velha Atenas caminhava para o fim. E Sócrates entendeu que todo o mundo tinha necessidade dele: de sua mediação, de sua cura, de seu artifício pessoal de autoconservação... Por toda parte os instintos estavam em anarquia; por toda parte estava-se cinco passos além do excesso; o "monstrum in animo" era o perigo universal. "Os impulsos querem fazer-se tiranos; precisa-se descobrir um antitirano, que seja mais forte..." Quando aquele fisionomista revelou a Sócrates quem ele era, uma caverna para todos os piores desejos, o grande irônico ainda deixou escapar uma palavra, que deu a chave para compreendê-lo. "Isto é verdade, disse ele, mas me tornei senhor sobre todos estes desejos." Como Sócrates se assenhorou de si mesmo? — No fundo o seu caso foi apenas o caso extremo; apenas o caso mais distintivo disto que outrora começou a se tornar a indigência universal: o fato de ninguém mais se assenhorar de si, de os instintos se arremeterem uns contra os outros. Ele atraiu como este caso extremo — sua feiura apavorante o comunicava a todos os olhares; ele fascinou, não de *per si*, mas ainda intensamente enquanto resposta, enquanto solução, enquanto aparência de cura.

10

Se se tem necessidade de fazer da razão um tirano, como Sócrates o fez, então o risco de que outra coisa se faça tirana não deve ser pequeno. A racionalidade aparece outrora enquanto salvadora; nem Sócrates, nem seus "doentes" estavam livres para serem racionais. Ser racional foi o seu último remédio. O fanatismo, com o qual toda a reflexão grega se lança à racionalidade, exibe uma situação desesperadora. Estava-se em risco, só se tinha uma escolha: ou perecer, ou ser absurdamente racional... O moralismo dos filósofos gregos desde Platão está condicionado patologicamente; do mesmo modo que sua avaliação da dialética. A equação Razão = Virtude = Felicidade diz meramente o seguinte: é preciso imitar Sócrates e estabelecer permanentemente uma luz diurna contra os apetites obscuros — a luz diurna da razão. É preciso ser prudente, claro, luminoso a qualquer preço: toda e qualquer concessão aos instintos, ao inconsciente conduz para baixo...

11

Dei a entender o que fez com que Sócrates exercesse fascínio: ele parecia ser um médico, um salvador. Faz-se ainda necessário indicar o erro que repousava em sua crença na "racionalidade a qualquer preço"? Imaginar a possibilidade de escapar da *décadence* através do estabelecimento de uma guerra contra ela é já um modo de iludir a si mesmo criado pelos filósofos e moralistas. O escape está além de suas forças: o que eles escolhem como meio, como salvação, não é senão uma nova expressão da decadência. Eles transformam sua expressão, mas não a eliminam propriamente. Sócrates foi um mal-entendido. Toda moral fundada no melhoramento, também a moral cristã, foi um mal-entendido...

Buscar a luz diurna mais cintilante, a racionalidade a qualquer preço, a vida luminosa, fria, precavida, consciente, sem instinto, em contraposição aos instintos não se mostrou efetivamente senão como uma doença, uma outra doença. Ela não concretizou de forma nenhuma um retorno à "virtude", à "saúde", à "felicidade"... Os instintos precisam ser combatidos, essa é a fórmula da *décadence*. Enquanto a vida está em ascensão, a felicidade é igual aos instintos.

12

Compreendeu isso o próprio Sócrates, ele que foi o mais prudente daqueles que se iludiram a si mesmos? Disse isso finalmente a si próprio na sabedoria de sua coragem diante da morte?... Sócrates queria morrer: não foi Atenas, mas ele mesmo que se ministrou a cicuta, forçou Atenas à cicuta... "Sócrates não é um médico, cochicha ele para si mesmo: a morte é o único médico aqui... Sócrates esteve somente doente por muito tempo".

A "RAZÃO" NA FILOSOFIA

1

Os senhores me perguntam o que são todas as idiossincrasias dos filósofos?... Por exemplo, sua falta de sentido histórico, seu ódio contra a ideia do devir, a representação dela, seu egipcismo. Julgam honrar uma coisa despojando-a de seu aspecto histórico, *sub specie aeterni* — quando fazem dela uma múmia. Tudo aquilo que os filósofos manobraram há milhares de anos eram ideias múmias, nada de real saía vivo de suas mãos. Esses senhores idólatras das ideias quando adoram, matam, empalham — colocam tudo em perigo de morte quando adoram. A morte, a evolução, a idade, bem como o nascimento e o crescimento, são para eles objeções — e até mesmo refutações. O que é não se torna; o que se torna não é... Agora todos acreditam, até mesmo com desespero, no ser. Mas como não podem se apoderar dele, procuram razões para saber porque isso lhes é vetado. "É forçoso que haja aí uma aparência, uma ilusão que faz com que não possamos perceber o ser: onde está o impostor?" — Já o apanhamos, gritam alegremente, é a sensualidade! Os sentidos, que por outro lado são tão imorais... eles nos enganam a respeito do mundo verdadeiro. Moral: desprender-se da ilusão dos sentidos, do devir, da história, da mentira — a história não é senão a fé nos sentidos, a fé na mentira. Moral: negar tudo o que acrescenta fé nos sentidos, todo o resto da humanidade: tudo isso faz parte do "povo". Ser filósofo, ser múmia, representar o monótono-teísmo com uma mímica de coveiro! E que pereça antes de tudo o corpo, essa lamentável ideia fixa dos sentidos! O corpo contaminado por todos os defeitos da lógica, refutado, até mesmo impossível, embora seja bastante impertinente para se comportar como se fosse real!...

2

Separo com profundo respeito o nome de Heráclito. Se os outros filósofos do povo rejeitavam o testemunho dos sentidos, porque os sentidos são múltiplos e variáveis, ele rejeitava esse testemunho porque apresenta as coisas como se fossem dotadas de duração e unidade. Também Heráclito foi injusto com os sentidos. Esses não mentem nem à maneira que imaginam os eleatas, nem como ele imaginava — em geral não mentem. É o que fazemos com seu testemunho, que introduz nele a mentira, por exemplo, a mentira da unidade, a mentira da realidade, da substância, da duração... Se falseamos o testemunho dos sentidos, a "razão" a causa disso. Os sentidos não mentem enquanto mostram o vir a ser, o desaparecimento, a mudança..., mas em sua afirmação que o ser é uma ficção, Heráclito terá eternamente razão. O "mundo das aparências" é o único real, o "mundo-verdade" foi somente acrescentado pela mentira...

3

E que sutis instrumentos de observação são para nós os sentidos! O nariz, por exemplo, do qual nenhum filósofo jamais falou com veneração e gratidão, o nariz é mesmo provisoriamente o instrumento mais delicado que temos a nosso serviço: é capaz de registrar diferenças mínimas no movimento, diferenças que nem o espectroscópio registra. Hoje só possuiremos ciência quando estivermos decididos a aceitar o testemunho dos sentidos — quando armarmos e aguçarmos nossos sentidos, ensinando-os a pensar até o fim. O resto não passa de aborto e não ainda ciência: quero dizer que é metafísica, teologia, psicologia ou teoria do conhecimento. Ou ainda, ciência da forma, teoria dos signos: como a lógica ou também essa lógica aplicada, a matemática. Aqui a realidade não aparece em absoluto, nem mesmo como problema; tampouco como a questão de saber que valor tem em geral um sistema de signos, como é a lógica.

4

A outra idiossincrasia dos filósofos não é menos perigosa: consiste em confundir as últimas coisas com as primeiras. Colocam no início o que vem no final — desafortunadamente, pois não deveriam vir nunca! Os "conceitos mais elevados", isto é, os conceitos mais gerais e mais vazios, a última embriaguez da realidade que se evapora, eles os colocam no início e os convertem em início. De novo, essa é somente a expressão de sua maneira de venerar: o mais elevado não pode vir do mais baixo, não pode em geral ter vindo... A conclusão é que tudo que é de primeira ordem deve ser *causa sui*. Qualquer outra origem é considerada como objeção, como contestação de valor. Todos os valores superiores são de primeira ordem, todos os conceitos superiores, o ser, o absoluto, o bem, o verdadeiro, o perfeito — tudo isso não pode ter-se "tornado", é necessário, portanto, que seja *causa sui*. Tudo isso, no entanto, não pode tampouco ser desigual entre si, não pode estar em contradição consigo... É assim que chegam a seu conceito de "Deus"... A coisa última, a mais tênue, a mais vazia é colocada em primeiro lugar, como causa em si, como *ens realissimum*... Que tenha tido a humanidade que levar a sério as dores de cabeça desses doentes urdidores de teias de aranha! E que ainda deva ter pagado tão caro por isso!...

5

Expliquemos pelo contrário de que maneira diferente nós (digo nós por cortesia...) concebemos o problema do erro e da aparência. Outrora a mudança, a variação, o vir a ser em geral, eram considerados como provas da aparência, como sinal de que devia haver aí algo que nos extraviasse. Hoje, ao contrário, vemos com exatidão até que ponto o preconceito da razão nos obriga a fixar a unidade, a identidade, a duração, a substância, a causa, a realidade, o ser, que nos envolve de algum modo no erro, que necessita do erro, ainda que, por consequência de uma verificação rigorosa, tenhamos certeza de que ali está o erro. Acontece como no movimento dos astros: lá nossos olhos são o advogado perpétuo do erro, enquanto que aqui é nossa linguagem que advoga sem cessar em favor do erro.

Por sua origem, a linguagem pertence à época das formas mais rudimentares da psicologia: penetramos num grosseiro fetichismo quando tomamos consciência das condições primeiras da metafísica da linguagem, isto é, da razão. Vemos então em toda parte ações e coisas ativas, cremos na vontade enquanto causa geral, cremos no "eu", no eu enquanto ser, no eu enquanto substância, e projetamos a crença, a substância do eu sobre todas as coisas — com isso criamos os conceito de "coisa"... Em toda parte o ser é imaginado como causa, substituído à causa; do conceito do "eu", segue-se somente, como derivação, a noção do "ser"... No início subsistia esse grande erro funesto que considera a vontade como uma coisa que age — que queria que a vontade fosse uma faculdade... Hoje sabemos que isso não passa de uma palavra vazia... Muito mais tarde, num mundo mil vezes mais esclarecido, a segurança, a certeza subjetiva na manipulação das categorias da razão, irrompeu (com surpresa) na consciência dos filósofos: concluíram que essas categorias não podiam provir empiricamente — todo empirismo está em contradição com elas. De onde provinham então? Na Índia, como na Grécia, se incorreu no mesmo erro: "É necessário que tenhamos habitado outrora um mundo superior (em lugar de dizer um mundo muito inferior, o que teria refletido a verdade!), é forçoso que tenhamos sido divinos, pois temos a razão!..." Com efeito, nada teve até o presente uma força de persuasão mais simples que o erro do ser, como foi formulado pelos eleatas, por exemplo, pois tem em favor dela cada palavra, cada frase que pronunciamos! Até os próprios adversários dos eleatas sucumbiram à sedução de seu conceito do ser: Demócrito, entre outros, quando inventou seu átomo... A "razão" na linguagem: ah, que velha senhora enganadora! Temo que jamais nos livraremos de Deus, porquanto acreditamos ainda na gramática...

6

Ser-me-ão agradecidos se condensar em quatro teses uma ideia tão importante e tão nova: facilito assim a compreensão, provoco assim a contradição.

Primeira proposição: as razões pelas quais se chamou este mundo de um mundo de aparências provam, pelo contrário, sua realidade — outra realidade é absolutamente indemonstrável.

Segunda proposição: os sinais distintivos que foram atribuídos à verdadeira "essência das coisas" são os sinais característicos do não-ser, do *nada*; dessa contradição se edifica o "mundo-verdade" como mundo verdadeiro: e é com efeito o mundo das aparências enquanto ilusão de ótica moral.

Terceira proposição: falar de um "outro" mundo distinto deste não faz nenhum sentido, admitindo que não temos em nós um instinto dominante de calúnia, de amesquinhamento, de suspeita contra a vida: nesse último caso, nos vingaremos da vida com a fantasmagoria de uma "outra" vida, de uma vida "melhor".

Quarta proposição: dividir o mundo num mundo "real" e um mundo das "aparências", seja à maneira do cristianismo, seja à maneira de Kant (um cristão pérfido, afinal de contas), não passa de uma sugestão da decadência, um sintoma da vida declinante... O fato do artista ter em maior apreço a aparência que a realidade não é uma objeção contra esta proposição. De fato, aqui "a aparência" significa a realidade repetida, uma vez mais, mas sob forma de seleção, de reforço, de correção... O artista trágico não é um pessimista, ele diz sim a tudo que é problemático e terrível, é dionisíaco...

COMO O MUNDO VERDADEIRO ACABOU VIRANDO UMA FÁBULA

HISTÓRIA DE UM ERRO

1

O mundo verdadeiro passível de ser alcançado pelo sábio, pelo devoto, pelo virtuoso. — Ele vive no interior desse mundo, ele mesmo é esse mundo.

(Forma mais antiga da ideia, relativamente inteligente, simples, convincente. Transcrição da frase: "eu, Platão, sou a verdade").

2

O mundo verdadeiro inatingível por agora, mas prometido ao sábio, ao devoto, ao virtuoso ("ao pecador que cumpre a sua penitência"). (Progresso da ideia: ela se torna mais sutil, mais insidiosa, mais inapreensível — ela torna-se mulher, torna-se cristã...)

3

O mundo verdadeiro inatingível, indemonstrável, impassível de ser prometido, mas já enquanto pensado um consolo, um compromisso, um imperativo. (No fundo, o velho sol, só que obscurecido pela névoa e pelo ceticismo; a ideia tornou-se sublime, esvaecida, nórdica, königsberguiana.)

4

O mundo verdadeiro — inatingível? De qualquer modo, não atingido. E, enquanto não atingido, também desconhecido. Consequentemente tampouco consolador, redentor, obrigatório: a que algo de desconhecido poderia nos obrigar?... (Manhã cinzenta. Primeiro bocejo da razão. O canto de galo do positivismo.)

5

O "mundo-verdade" — uma ideia que não serve mais para nada, não obriga a nada — uma ideia que se tornou inútil e supérflua, por conseguinte, uma ideia refutada: vamos suprimi-la!

(Dia claro, desjejum, retorno do bom senso e da alegria; Platão cora de vergonha e todos os espíritos livres fazem um tumulto dos diabos.)

6

O "mundo-verdade", nós o abolimos: que mundo nos ficou? O mundo das aparências talvez?... Mas não! Com o mundo-verdade abolimos também o mundo das aparências!

Meio-dia, momento da sombra mais curta, fim do erro mais demorado, ponto culminante da humanidade: *Incipit Zaratustra* (começa Zaratustra).

A MORAL ENQUANTO MANIFESTAÇÃO CONTRA A NATUREZA

1

Todas as paixões têm uma época que são fatais, quando arrastam suas vítimas com o peso da estupidez — e uma época tardia, muito mais tardia, em que se casam com o espírito, em que se "espiritualizam". Outrora, por causa da estupidez na paixão, se movia guerra contra a própria paixão: conjuravam-se para aniquilá-la — todos os antigos juízos morais estão de acordo neste ponto: "é preciso matar as paixões". A fórmula mais célebre a respeito se encontra no Novo Testamento, no Sermão da Montanha, onde, que se diga de passagem, as coisas não são em absoluto vistas de uma altura. Ali se diz, por exemplo, referindo-se à sexualidade: "Se teu olho direito é para ti uma ocasião de queda, arranca-o" — felizmente, nenhum cristão age segundo esse preceito.

Destruir as paixões e os desejos somente por causa de sua estupidez e para evitar as consequências desagradáveis dela, não nos parece ser hoje senão uma forma aguda da mesma. Não admiramos mais os dentistas que arrancam os dentes para que não voltem a doer... Cumpre confessar, por outro lado, com alguma razão, que, no terreno em que se desenvolveu o cristianismo, a ideia de uma "espiritualização da paixão" não podia ser concebida de maneira nenhuma. Como é de fato reconhecido, a igreja primitiva lutou contra os "inteligentes" em favor dos "pobres de espírito" —como seria possível esperar dela uma guerra inteligente contra a paixão? A igreja combate o sofrimento através da extirpação em todos os sentidos: sua prática, seu "tratamento" é o da castração. Ela nunca pergunta: "Como se espiritualiza, se embeleza, se diviniza um desejo"?

Em todas as épocas o peso da disciplina foi posto a serviço do extermínio (da sensualidade, do orgulho, do desejo de dominar, de possuir e de vingar-se). Atacar a paixão em sua raiz é atacar a vida em sua raiz: a prática da Igreja é nociva à vida...

2

O mesmo remédio, a castração e a extirpação, é empregado instintivamente na luta contra o desejo por aqueles que são demasiado fracos de vontade, demasiado degenerados para poder impor uma medida a esse desejo; por essas naturezas que têm necessidade de *La Trappe*, para falar por imagem (e sem imagem), de uma declaração definitiva de guerra, de um abismo entre eles e a paixão. Somente os degenerados encontram os meios radicais indispensáveis; a fraqueza de vontade, para falar mais exatamente, a incapacidade de não reagir contra uma sedução não é ela própria senão outra forma de degenerescência. A inimizade radical, o ódio votado à morte contra a sensualidade é um sintoma grave: tem-se o direito de fazer suposições sobre o estado geral de um ser que atinge esse excesso. Essa inimizade e esse ódio atingem, por outro lado, seu cúmulo quando semelhantes naturezas não possuem mais suficiente firmeza tanto para as curas radicais como para a renúncia ao "demônio". Recorra-se a toda a história dos sacerdotes e dos filósofos, incluindo a dos artistas: não são os impotentes, não são os ascetas que apontam suas flechas envenenadas contra os sentidos; são os ascetas impossíveis, aqueles que teriam tido necessidade de ser ascetas...

3

A espiritualização da sensualidade se chama amor: é uma grande vitória sobre o cristianismo. A inimizade é outro triunfo de nossa espiritualização. Consiste em compreender profundamente o interesse que há em ter inimigos: em resumo, em agir e em concluir de modo inverso ao que se agia e concluía outrora. A Igreja desde sempre quis o aniquilamento de seus inimigos: nós, imoralistas e anticristãos, vemos que auferimos vantagem enquanto a Igreja subsistir... Nos negócios políticos, a inimizade se tornou agora bem mais intelectual, mais sábia, mais refletida, mais moderada. Cada partido compreende que interessa a sua própria conservação não permitir que se esgote o partido contrário; o mesmo ocorre com a alta política. Uma nova criação, por exemplo, o novo império, tem mais necessidade de inimigos do que de amigos: só pelo contraste é que ela começa a se sentir necessária, a tornar-se necessária. Não é de maneira diversa que nos comportamos com o "inimigo interior" — lá também espiritualizamos a inimizade, lá também compreendemos seu valor. Convém ser rico em oposições, pois só a esse preço se é fecundo; para conservar-se jovem é preciso que a alma não descanse, que a alma não peça a paz. Não há nada que tenha chegado a ser tão estranho para nós que aquilo que outrora era o objeto dos desejos, a "paz da alma" que os cristãos desejavam; nada é menos o objeto de nossa vontade que o gado moral e a felicidade gorda da consciência tranquila. Quando se renuncia à guerra, se renuncia à grande vida... É verdade que em muitos casos a "paz da alma" não passa de um mal-entendido; então é apenas alguma coisa que não poderia ser proferida honestamente.

Sem rodeios e sem preconceitos, vou citar alguns casos: a "paz da alma" pode ser, por exemplo, o suave reflexo de uma animalidade exuberante no domínio da moral (ou religioso). Ou então o começo da fadiga, a primeira sombra que a noite lança, que toda espécie de noite lança. Ou então um sinal de que o ar é úmido, que o vento do sul vai soprar. Ou o reconhecimento involuntário por uma boa digestão (denomina-se também amor da humanidade). Ou o repouso do convalescente que começa a tomar gosto outra vez pelas coisas e que espera... Ou o estado de ânimo que se segue a uma intensa satisfação de nossa paixão dominante, o bem-estar de uma rara saciedade. Ou a caducidade de nossa vontade, de nossos desejos, de nossos vícios. Ou a preguiça que a vaidade impele a vestir-se de moralidade. Ou o advento de uma certeza, ainda que seja uma certeza terrível. Ou a expressão da maturidade e do domínio, no meio da atividade, do trabalho, da produção, do querer; a respiração tranquila quando se atingiu a "liberdade da vontade"... Crepúsculo dos ídolos: quem sabe? Talvez isso também seja uma espécie de "paz da alma"...

4

Apresento um princípio como fórmula. Todo naturalismo na moral, isto é, toda sã moral, está dominada pelo instinto de vida — um mandamento qualquer da vida se cumpre mediante um cânon determinado por "ordens" e por "proibições", um obstáculo ou uma inimizade qualquer, sobre o domínio vital, é assim posto de lado. A moral antinatural, isto é, toda moral ensinada, venerada e pregada até o presente, se dirige, ao contrário, precisamente contra os instintos vitais — ela é uma condenação, ora secreta, ora ruidosa e descarada desses instintos. Quando ela diz: "Deus perscruta os corações", diz não às aspirações interiores e superiores da vida e considera Deus como o inimigo da vida... O santo que agrada a Deus é o castrado ideal... A vida finda ali onde começa o "reino de Deus"...

5

Ao admitir que se compreendeu o que há de sacrílego em semelhante sublevação contra a vida, que chegou a ser quase sacrossanta na moral cristã, ter-se-á, por isso mesmo e felizmente compreendido também outra coisa: o que há de inútil, de fictício, de absurdo, de mentiroso em semelhante sublevação. A condenação da vida da parte de um vivo, não é, em última instância, senão o sintoma de uma espécie de vida determinada: sem que se pergunte se tem ou não razão. Seria necessário tomar posição fora da vida e conhecê-la, por outro lado, ao mesmo tempo tão bem como alguém que a percorreu, como muitos e até mesmo todos aqueles que passaram por ela, para somente tocar o problema do valor da vida: essas são as razões suficientes para compreender que esse problema está fora de nosso alcance. Ao falar do valor, falamos sob a inspiração e sob a ótica da vida. A própria vida nos obriga a determinar valores, a própria vida evolui por nossa mediação quando determinamos valores... Infere-se daí que toda moral contra a natureza, que considera Deus como a ideia contrária, como a condenação da vida, é apenas, na realidade, uma apreciação da vida; de que vida? De que espécie de vida? Mas já apresentei minha resposta: da vida descendente, enfraquecida, fatigada, condenada. A moral, tal como foi entendida até agora — tal como foi formulada em último lugar por Schopenhauer, como "negação da vontade de viver" — essa moral é o próprio instinto de decadência que se transforma em imperativo. Ela diz: "caminha para tua perdição!" — é o julgamento daqueles que já estão julgados...

6

Consideremos ainda por fim que ingenuidade patética é em geral dizer que o "homem deveria ser de tal ou de tal modo!" A efetividade nos mostra uma riqueza encantadora de tipos, a exuberância de um jogo e de uma mudança de formas profusos. E um reles serviçal de moralista qualquer diz: "Não! O homem deveria ser diferente?"... Ele sabe até mesmo como ele deveria ser, esse fanfarrão e esse beato, ele pinta um autorretrato na parede e diz "ecce homo!"... Mas mesmo quando o moralista se volta simplesmente para o indivíduo e lhe diz: "Tu deverias ser de tal e de tal modo!", ele não deixa de se tornar risível. O indivíduo, visto pela frente ou por detrás, é um pedaço de destino, uma lei a mais, uma necessidade a mais para tudo o que advém e será. Dizer-lhe "transforma-te" significa exigir que tudo se transforme, até mesmo ainda o que ficou para trás... E, realmente, houve moralistas consequentes; eles queriam os homens diversos, mesmo virtuosos, eles os queriam a sua imagem, mesmo beatos: para tanto eles negavam o mundo! Nenhuma pequena sandice! Nenhum tipo modesto de imodéstia!... A moral, na medida em que não condena a partir de pontos de vista, de considerações e intenções vitais, mas em si, é um erro específico, pelo qual não se deve sentir nenhuma compaixão; a moral é uma idiossincrasia de degenerados que provocou muitos e indizíveis danos!... Nós outros, nós imoralistas, ao contrário, abrimos amplamente nosso coração para todo tipo de entendimento, compreensão e aprovação.

Não negamos facilmente, buscamos nossa honra no fato de sermos afirmativos. O olhar abriu-nos cada vez mais para aquela economia que ainda precisa e sabe utilizar tudo isso que o desatino santificado dos sacerdotes, a razão doentia nos sacerdotes, rejeita, para aquela economia na lei da vida, que por si própria retira sua vantagem das espécies mais repugnantes de beatos, de sacerdotes, de virtuosos. Que vantagem? Nós mesmos, nós imoralistas, somos aqui a resposta...

OS QUATRO GRANDES ERROS

1

Não há nenhum erro mais perigoso do que confundir a consequência com a causa: eu o denomino a própria perversão da razão. Apesar disso, esse erro pertence aos hábitos mais antigos e mais recentes da humanidade. Ele é mesmo santificado entre nós e porta o nome da "religião", da "moral". Todas as proposições que a religião e a moral formulam encerram-no. Sacerdotes e legisladores morais são os autores dessa perversão da razão. Tomo um exemplo: todo mundo conhece o livro do célebre Cornaro, no qual esse aconselha sua dieta parca como receita para uma vida longa e feliz — bem como virtuosa. Poucos livros foram tão lidos. Ele ainda é impresso na Inglaterra anualmente em muitos milhares de exemplares. Não tenho a menor dúvida de que nenhum livro (excetuando a Bíblia, bem entendido) provocou tanto mal, encurtou tantas vidas, quanto essa singular obra, tão bem-intencionada. O motivo para tanto: a confusão entre a consequência e a causa. O honesto italiano viu em sua dieta a causa de sua vida longa: enquanto a condição prévia para uma vida longa, a lentidão extraordinária do metabolismo, o consumo restrito é que eram a causa de sua dieta parca. Ele não tinha a liberdade de comer muito ou pouco, sua frugalidade não era uma "vontade livre": ele ficaria doente se comesse mais. No entanto, quem não é uma carpa não apenas faz bem em comer a valer, como tem necessidade disso. Um douto de nossos dias, com seu consumo rápido das forças nervosas, se aniquilaria com o regime de Cornaro. *Crede experto.*

2

A fórmula geral que serve de base a toda religião e a toda moral se exprime assim: "Faça isto ou aquilo, não faça isto ou aquilo — então serás feliz! Caso contrário..." Toda moral, toda religião não é senão esse imperativo — eu o chamo o grande pecado hereditário da razão, a imortal não-razão. Em minha boca essa fórmula se transforma em seu contrário — primeiro exemplo de minha "transmutação de todos os valores": um homem bem constituído, um "homem feliz" realizará forçosamente certos atos e temerá instintivamente cometer outros, pois assim exige o sentimento da ordem que ele representa fisiologicamente em suas relações com os homens e as coisas. Reduzindo isto a uma fórmula: sua virtude é a consequência de sua felicidade... Uma longa vida, uma prole numerosa, não é nisso que reside a recompensa da virtude; pelo contrário, a própria virtude é essa lentidão na assimilação e desassimilação que produz, entre outras consequências, também aquelas da longevidade e da prole numerosa, numa palavra, o que se chama de "cornarismo."

A igreja e a moral afirmam: "O vício e o luxo levam a perecer uma raça ou um povo." Em contrapartida, minha razão restabelecida afirma: "quando um povo perece, degenera fisiologicamente", consequência disso são os vícios e o luxo (isto é, a necessidade de estimulantes cada vez mais fortes e mais frequentes, tal como os conhece toda e qualquer natureza extenuada). Um jovem empalidece e envelhece antes do tempo. Seus amigos dizem: esta ou aquela doença é a causa disso. Respondo: o fato de ter caído doente, de não ter podido resistir à doença já é a consequência de uma vida precária, de um esgotamento hereditário. Os leitores de jornais dizem: este partido acabou por causa desta ou daquela falha. Minha política superior responde: um partido que comete esta ou aquela falha agoniza — não possui mais sua segurança de instinto. Toda falha, de uma forma ou de outra, é a consequência de uma degenerescência do instinto, de uma desagregação da vontade: com isso chega-se quase a definir o que é mau. Tudo o que é bom procede do instinto — e é, por conseguinte, leve, necessário, livre. O esforço é uma objeção, o deus se diferencia do herói por seu tipo (em minha linguagem: os pés leves são o primeiro atributo da divindade).

3

Em todas as épocas acreditou-se saber o que é uma causa: mas de onde tiramos nosso saber, ou melhor, a fé no nosso saber? Do domínio desses célebres "fatos interiores", dos quais nenhum, até o presente, resultou efetivo. Cremos intervir nós mesmos como causa nos atos da vontade e pensamos que ali, pelo menos, vamos surpreender a causalidade em flagrante. De igual modo, não duvidávamos que era necessário buscar na consciência todos os antecedentes de um ato e que, procurando-os nela, eram encontrados — como "motivos". De fato, se não fosse assim, não teríamos sido livres nem responsáveis nesse ato. Por fim, quem teria posto em dúvida o fato de que um pensamento é ocasionado, de que sou "eu" a causa do pensamento?... Os "três fatos interiores" com que a causalidade parecia se garantir — o primeiro e mais convincente é a vontade considerada como causa; depois a noção de uma consciência ("espírito") como causa, e mais tarde ainda aquele do eu (do "sujeito") como causa —, chegaram tarde demais, quando, pela vontade, a causalidade já estava estabelecida como um dado, como empirismo... Desde então mudamos de opinião. Hoje, não acreditamos numa só palavra de tudo aquilo. O "mundo interior" está repleto de fantasmas e de luzes enganosas: a vontade é um desses fantasmas. A vontade não põe mais em movimento, portanto, não explica mais nada — apenas acompanha os acontecimentos e pode também fazer falta.

O assim chamado "motivo": outro erro. Não passa de um fenômeno superficial da consciência, um ao lado do ato que mais oculta os antecedentes da ação do que os representa. E se quisermos falar do eu! O Eu se tornou uma lenda, uma ficção, um jogo de palavras: esse já deixou de pensar, de sentir e de querer!... Que se deduz daí? Não há em absoluto causas intelectuais! Todo o pretenso empirismo inventado para isso foi para os diabos! É isso que se segue. E tínhamos cometido um amável abuso desse "empirismo", partindo dele havíamos criado o mundo, como mundo das causas, como mundo da vontade, como mundo dos espíritos. É nisso que a mais antiga psicologia, a que durou mais tempo, consagrou-se a essa tarefa, não fez em absoluto outra coisa: todo acontecimento era para ela ação, toda ação era consequência de uma vontade; o mundo se tornou para ela uma multiplicidade de princípios ativos, um princípio ativo (um "sujeito") presente em cada acontecimento. O homem projetou para fora de si seus três "fatos interiores", nos quais acreditava firmemente: a vontade, o espírito, o Eu — primeiramente deduziu a noção do Ser da noção do Eu, pressupôs as "coisas" como existentes a sua imagem, de acordo com sua noção do Eu enquanto causa. Que tem de estranho que mais tarde tenha encontrado sempre, nas coisas, apenas aquilo que ele mesmo tinha colocado nelas? A própria coisa, para repeti-lo ainda, a noção da coisa é apenas um reflexo da crença no Eu enquanto causa... E mesmo no seu átomo, senhores mecânicos e físicos, quanta psicologia rudimentar subsiste ainda! Para não falar de qualquer modo da "coisa em si", do *horrendum pudendum* dos metafísicos! O erro do espírito como causa confundido com a realidade! Considerado como medida da realidade! E denominado Deus!

4

Para tomar o sonho como ponto de partida: a uma sensação determinada, por exemplo, aquela que produz o distante tiro de um canhão, atribuímos de imediato uma causa (que muitas vezes chega a formar uma pequena novela cujo herói é, naturalmente, a pessoa que sonha). A sensação se prolonga durante esse tempo como num eco e aguarda num certo sentido até que o instinto da causalidade lhe permita colocar-se em primeiro plano — não já como um acaso, mas sim como a "razão" de um fato. O tiro de canhão se apresenta de uma forma causal numa aparente inversão do tempo. O que só vem depois, a motivação, parece ter chegado primeiro, muitas vezes com cem detalhes que se sucedem com a rapidez do relâmpago, o tiro segue... Que aconteceu? As representações que produzem um certo estado de fato foram mal interpretadas, como se fossem as causas desse estado de fato. Na realidade fazemos o mesmo quando despertos. A maioria de nossos sentimentos vagos — toda espécie de obstáculo, de opressão, de tensão de explosão no funcionamento dos órgãos, em particular o estado do nervo simpático — provocam nosso instinto de causalidade: queremos ter uma razão para nos encontrarmos neste ou naquele estado — para nos sentirmos bem ou mal. Não nos basta experimentar simplesmente o fato de sentirmos desta ou daquela maneira; não aceitamos esse fato — não adquirimos consciência dele — a não ser que lhe tenhamos conferido uma forma de motivação.

A memória que, em casos semelhantes, entra em função sem que tenhamos consciência disso, reproduz os estados anteriores de mesma ordem e as interpretações causais anexas a eles — e de modo algum sua causalidade verdadeira. É verdade que, por outro lado, a memória reproduz também a crença de que as representações, de que os fenômenos de consciência que acompanham foram as causas. Assim se forma o hábito de certa interpretação das coisas que, na realidade, obstaculiza e até exclui sua investigação.

5

Reduzir uma coisa desconhecida a outra conhecida alivia, tranquiliza e satisfaz o espírito, proporcionando, além disso, um sentimento de poder. O desconhecido comporta o perigo, a inquietude, o cuidado — o primeiro instinto leva a suprimir essa situação penosa. Primeiro princípio: uma explicação qualquer é preferível à falta de explicação. Como, na realidade, se trata apenas de se livrar de representações angustiosas, não se olha de tão perto para encontrar os meios de chegar a isso: a primeira representação, pela qual o desconhecido se declara conhecido, faz tão bem que "é considerada por verdadeira". Prova do prazer ("da força") como critério da verdade. O instinto de causa depende, pois, do sentimento do medo que o produz. O "porquê", desde que possível, não exige a indicação da uma causa por amor a ela, mas sim uma espécie de causa — uma causa que tranquilize, liberte e alivie. A primeira consequência dessa necessidade é que se fixa como algo já conhecido, vivido, alguma coisa que está inscrita na memória. O novo, o imprevisto, o estranho está excluído das causas possíveis. Não se busca, portanto, somente descobrir uma explicação da causa, mas sim se escolhe e se prefere uma espécie particular de explicações, aquela que dissipa mais rapidamente e com mais frequência a impressão do estranho, do novo, do imprevisto — as explicações mais usuais. O que é que se segue disso? Uma avaliação das causas domina sempre mais, se concentra em sistema e acaba por predominar a ponto de excluir simplesmente outras causas e outras explicações. O banqueiro pensa imediatamente no "negócio", o cristão no "pecado", a moça em seu amado.

6

Todo o domínio da moral e da religião deve ser ligado a essa ideia das causas imaginárias.

"Explicação" dos sentimentos gerais desagradáveis. Esses sentimentos dependem de seres que são nossos inimigos (os maus espíritos: é o caso mais célebre — as histéricas que são tomadas por bruxas). Dependem de atos que não devem ser aprovados (o sentimento do pecado, do estado de pecado é substituído por um mal-estar fisiológico — sempre se encontra razões para estar descontente consigo). Dependem da ideia de punição, de resgate por alguma coisa que não deveríamos ter feito (ideia generalizada por Schopenhauer, sob uma forma impudente, numa proposição em que a moral aparece tal qual é, como verdadeira envenenadora e caluniadora da vida: "Toda grande dor, seja física ou moral, indica o que merecemos, pois não poderia se apoderar de nós, se não a merecêssemos". *Mundo como vontade e como representação, II, 666*). Dependem, finalmente, de atos irrefletidos que têm consequências danosas (as paixões, os sentidos considerados como causas, como culpados; as calamidades fisiológicas convertidas em punições "merecidas", com a ajuda de outras calamidades).

"Explicação" dos sentimentos gerais agradáveis. Dependem da confiança em Deus. Dependem do sentimento das boas ações (o que se chama de "consciência tranquila", um estado fisiológico que se parece a uma boa digestão, que às vezes se confundem). Dependem do desenlace feliz de determinados empreendimentos (conclusão falsa e ingênua, pois o final feliz de um empreendimento não proporciona sentimentos gerais agradáveis a um hipocondríaco ou a um Pascal). Dependem da fé, da esperança e da caridade — as virtudes cristãs. Na realidade, todas essas pretensas explicações são as consequências dos estados de prazer ou de desprazer, transpostas de algum modo numa linguagem errônea: estamos em condições de esperar, porquanto o sentimento fisiológico dominante é novamente forte e abundante; temos confiança em Deus, porquanto o sentimento da plenitude e da força nos proporciona repouso. A moral e a religião pertencem inteiramente à fisiologia do erro: em cada caso particular se confundem a causa e o efeito, ou a verdade com o efeito do que se considera como verdade, ou ainda uma condição da consciência com a causalidade dessa condição.

7

Não nos resta mais hoje nenhuma espécie de compaixão com a ideia do livre-arbítrio: sabemos muito bem do que se trata — a habilidade teológica de pior reputação que já houve para tornar a humanidade "responsável", à maneira dos teólogos, o que quer dizer: para tornar a humanidade dependente dos teólogos... Vou me limitar a explicar aqui a psicologia dessa tendência de querer tornar responsável. Em toda parte, onde se procura responsabilidades, é geralmente o instinto de punir e de julgar que está em ação. Retira-se a inocência do devir quando se atribui um estado de fato, qualquer que seja, à vontade, a intenções, a atos de responsabilidade: a doutrina da vontade foi inventada, principalmente para punir, isto é, com a intenção de encontrar um culpado. Toda a antiga psicologia, a psicologia da vontade, deve sua existência ao fato de que seus inventores, os sacerdotes, chefes das comunidades antigas, quiseram atribuir-se o direito de infligir uma pena — ou melhor, porque quiseram criar esse direito para Deus... Os homens foram considerados "livres" para poder julgá-los e puni-los — para poder declará-los culpados: por conseguinte, toda ação deveria ser considerada como voluntária, e a origem da ação residir na consciência (pelo que a falsificação in *psychologicis*, por princípio, se erigia como princípio da própria psicologia...). Hoje, que entramos na corrente contrária e nós, os imoralistas, trabalhamos com todas nossas forças para conseguir que desapareça mais uma vez do mundo a ideia de culpabilidade e de punição, bem como para limpar delas a psicologia, a história, a natureza, as instituições e as sanções sociais, não há mais, a nossos olhos, oposição mais radical que a dos teólogos que continuam, por meio da ideia do "mundo moral" a contaminar a inocência do devir com o "pecado" e a "pena". O cristianismo é uma metafísica de carrascos.

8

O que pode unicamente ser nossa doutrina? Que ninguém dá ao homem suas qualidades, nem Deus, nem a sociedade, nem seus pais e antepassados, nem ele mesmo (o contrassenso da "ideia", refutado em último lugar, foi ensinado, sob o nome de "liberdade inteligível" por Kant e talvez já por Platão). Ninguém é responsável pelo fato do homem existir, de estar conformado desta ou daquela maneira, de encontrar-se em tais condições, em tal meio. A fatalidade de seu ser não pode ser separada da fatalidade de tudo o que foi e de tudo o que será. O homem não é a consequência duma intenção própria, de uma vontade, de um fim; com ele não se fazem ensaios para obter um "ideal de humanidade", um "ideal de felicidade" ou ainda um "ideal de moralidade" — é absurdo querer desviar seu ser para um fim qualquer. Nós inventamos a ideia de "fim": na realidade não existe "fim"... Somos necessários, somos um pedaço de destino, fazemos parte do todo, estamos no todo — não há nada que possa julgar, medir, comparar, condenar nossa existência, pois isso seria julgar, medir, comparar e condenar o todo... Mas não há nada fora do todo! Ninguém pode ser tornado responsável, as categorias do ser não podem ser referidas a uma causa primeira, o mundo não é mais uma unidade, nem como mundo sensível, nem como "espírito": apenas essa é a grande libertação — desse modo a inocência do devir é restabelecida... A ideia de "Deus" foi até agora a maior objeção contra a existência... Nós negamos Deus, negamos a responsabilidade em Deus: com isso redimimos o mundo.

OS MELHORADORES
DA HUMANIDADE

1

Conhece-se minha exigência de que os filósofos se coloquem para além do Bem e do Mal, de que eles tenham abaixo de si a ilusão do juízo moral. Essa exigência deriva-se de uma intelecção que foi formulada pela primeira vez por mim: a intelecção de que não há absolutamente nenhum fato moral. O juízo moral possui em comum com o juízo religioso a crença em realidades que não são de modo algum realidades. A moral é apenas uma exegese de certos fenômenos; falando mais determinadamente, ela é uma exegese equivocada. O juízo moral pertence, tanto quanto o religioso, a um grau de insciência, no qual falta até mesmo o conceito do real, a diferenciação entre o real e o imaginário: de maneira que, em um tal grau, a "verdade" não faz senão designar as coisas que hoje chamamos "construções imaginárias". A esse respeito, o juízo moral nunca pode ser tomado ao pé da letra: ele nunca encerra, enquanto tal mais do que um absurdo. Ele permanece inestimável enquanto semiótica: ao menos para os que sabem ele revela as realidades mais preciosas das culturas e das interioridades que não sabiam o bastante para "entenderem" a si mesmos. A moral é meramente um discurso de signos, meramente sintomatologia: é preciso já saber do que se trata para tirar dela algum proveito.

2

De maneira totalmente provisória, eis um primeiro exemplo! Em todos os tempos quis-se "melhorar" os homens: esse anseio antes de tudo chamava-se moral. Mas sob a mesma palavra escondem-se todas as tendências mais diversas. A domesticação do animal humano, bem como a criação de uma espécie determinada de homens, são um "melhoramento": esses termos zoológicos exprimem unicamente realidades — mas essas são realidades sobre as quais o típico melhorador, o sacerdote, não sabe nada de fato — e não quer nada saber... Chamar "melhoramento" a domesticação de um animal soa aos nossos ouvidos quase como uma brincadeira. Quem sabe o que acontece nos estábulos? Duvido muito que o animal seja neles "melhorado". É debilitado, é tornado menos perigoso, pelo sentimento depressivo do medo, pela dor e pelas feridas se faz dele um animal doente. Não acontece outra coisa com o homem, domesticado, que o sacerdote tornou "melhor". Nos primeiros tempos da Idade Média, quando a Igreja era acima de tudo um estábulo, em toda parte eram selecionados os belos exemplares do "animal louro" — era "melhorado", por exemplo, os nobres germânicos. Mas qual era, depois disso, o aspecto de um desses germânicos tornado "melhor" e atirado num convento? Tinha a aparência de uma caricatura de homem, de um aborto: haviam feito dele um "pecador", estava enjaulado, havia sido encerrado no meio das ideias mais espantosas... Deitado, doente, miserável, aborrecia-se a si mesmo; estava cheio de ódio contra os instintos de vida, cheio de desconfiança em relação a tudo o que permanecia ainda forte e feliz. Numa palavra era "cristão"... Para falar em termos fisiológicos: na luta com o animal, torná-lo doente é talvez o único meio de o enfraquecer. A Igreja compreendeu isso perfeitamente: ela perverteu o homem, tornou-o fraco — mas ela reivindicou o mérito de tê-lo tornado "melhor".

3

Tomemos o outro caso daquilo que se chama moral: o caso da criação de uma determinada espécie. O exemplo mais grandioso é dado pela moral hindu, pela "lei de Manu", sancionada por uma religião. Aqui se coloca o problema de não criar menos que quatro raças ao mesmo tempo. Uma raça sacerdotal, uma raça guerreira, uma raça de mercadores e agricultores e por último uma raça de servidores, os sudras. É evidente que aqui não estamos mais entre domadores de animais: uma espécie de homens cem vezes mais suave e mais racional é a condição primordial para chegar a conceber o plano de semelhante criação. Respira-se com mais liberdade quando se passa da atmosfera cristã, atmosfera de hospital e de cárcere, a esse mundo mais sadio, mais elevado, mais amplo. Como o Novo Testamento é pobre ao lado da lei de Manu, como cheira mal! Mas essa organização, ela também, tinha necessidade de ser terrível — não, dessa vez, na luta com o animal, mas com a ideia contrária do animal, com o homem que não se deixa criar, o homem de mistura incoerente, o chandala. E não encontrou também outro meio para desarmá-lo e debilitá-lo do que torná-lo doente — era a luta com o "maior número". Talvez não haja nada tão contrário ao nosso sentimento que essa medida de segurança da moral hindu.

O terceiro edito, por exemplo (*Avadana Sastra I*), aquele dos "legumes impuros", ordena que os únicos alimentos permitidos aos chandalas são o alho e a cebola, uma vez que a Santa Escritura proíbe dar-lhes trigo ou frutas que tenham grãos e priva os chandala de água e de fogo. O mesmo edito declara que a água de que tenham necessidade não deve ser tirada dos rios, das fontes e nem das lagoas, mas somente dos pântanos e dos buracos deixados no solo pelas pegadas das patas dos animais. De igual modo, lhes é proibido lavar a roupa e a si próprios, porque a água, que lhes é concedida por misericórdia, só pode servir para aplacar a sede. Finalmente, existia ainda a proibição para as mulheres sudras de assistir as mulheres chandalas no parto e, para essas, de se assistirem mutuamente. O resultado de semelhante política sanitária não deixava de se manifestar: epidemias mortais, doenças sexuais espantosas e, como resultado, a consequente "lei da faca", ordenando a circuncisão das crianças do sexo masculino e a ablação dos pequenos lábios nas crianças do sexo feminino. O próprio Manu dizia: "Os chandalas são o fruto do adultério, do incesto e do crime (aí está a consequência necessária da ideia de criação). Como vestimentas devem ter apenas os farrapos tirados dos cadáveres, como baixela, jarros; por adorno ferro velho e por objeto de culto os maus espíritos; devem errar de lugar a outro, sem descanso. É proibido a eles escrever da esquerda para a direita e servir-se da mão direita para escrever, uma vez que o uso da mão direita e da escrita da esquerda para a direita está reservado às pessoas de virtude, às pessoas de raça".

4
Essas prescrições são bastante instrutivas: constata-se nelas a humanidade ariana absolutamente pura, absolutamente primitiva — vemos que a ideia de "puro sangue" é o contrário de uma ideia inofensiva. Por outro lado, percebe-se claramente em que povo ela se tornou religião, se tornou gênio. Considerados desse ponto de vista, os Evangelhos são documentos de primeira ordem e, mais ainda, o livro de Enoque. O cristianismo, nascido de raízes judaicas, inteligível somente como uma planta desse solo, representa o movimento de oposição contra toda moral de criação, da raça e do privilégio: é a religião antiariana por excelência: o cristianismo, a transmutação de todos os valores arianos, a vitória dos avaliações dos chandalas, o evangelho dos pobres e dos humildes proclamado, a insurreição geral de todos os oprimidos, dos miseráveis, dos arruinados, dos deserdados, sua insurreição contra a "raça" — a vingança imortal dos chandalas tornada religião do amor.

5
A moral da criação e a moral da domesticação são plenamente dignas uma da outra, no que concerne aos meios de se impor. Podemos apresentar como princípio mais elevado o seguinte: para levar a termo a moral é necessário ter a vontade incondicionada do contrário. Este é o grande problema, o problema sinistro, ao qual persegui mais longamente: a psicologia dos "melhoradores" da humanidade. Um fato diminuto e no fundo modesto, chamado *pia fraus*, abriu-me um primeiro acesso ao problema. A *pia fraus* foi a herança de todos os filósofos e sacerdotes que "melhoraram" a humanidade. Nem Manu, nem Platão, nem Confúcio, nem as doutrinas hebraicas e cristãs jamais duvidaram de seu direito à mentira. Eles duvidaram de direitos totalmente diversos... Expresso em uma fórmula, poder-se-ia dizer: todos os meios, através dos quais até aqui a humanidade deveria se tornar moral, foram fundamentalmente imorais.

O QUE FALTA AOS ALEMÃES

1

Entre os alemães não é suficiente hoje ter espírito: precisa-se ainda detê-lo, arrogar-se do espírito... Talvez conheça os alemães, talvez possa mesmo dizer-lhes um par de verdades. A nova Alemanha apresenta uma grande quantidade de habilidades hereditárias e adquiridas, de modo que ela pode mesmo gastar profusamente durante um tempo o tesouro acumulado de forças. Não foi uma cultura elevada que se tornou senhora junto com ela, nem tampouco um paladar delicado, uma nobre "beleza" dos instintos. Ao contrário, foram virtudes mais varonis do que poderia apresentar um outro país da Europa. Muito mais coragem e respeito para consigo mesma, muito mais segurança na lida com as pessoas e as coisas, bem como na reciprocidade dos deveres, muita concentração no trabalho, muita perseverança e uma moderação herdada, que carece antes de aguilhão do que de travas. Acrescento que aqui ainda se obedece, sem que a obediência humilhe... E ninguém despreza seu oponente... Vê-se que é meu desejo fazer justiça aos alemães: não gostaria de ser desleal quanto a isso. Também preciso lhes apresentar então minha objeção. Paga-se caro para chegar ao poder — o poder embrutece... Os alemães — foram chamados um dia de pensadores: ainda pensam hoje em dia? Os alemães entediam-se agora com o espírito, os alemães desconfiam agora do espírito, a política devora toda a gravidade para as coisas realmente espirituais. "Alemanha, Alemanha acima de tudo!" Eu temo que esse tenha sido o fim da filosofia alemã...

"Há filósofos alemães? Há poetas alemães? Há bons livros alemães?" — as pessoas me perguntam no estrangeiro. Eu coro, mas com a valentia que me é tão própria mesmo nos casos mais desesperadores respondo: "sim, Bismarck!" Teria mesmo o direito de apenas confessar que livros se lê hoje em dia?... Maldito instinto da mediocridade!

2

O que poderia ser o espírito alemão, quem já não fez sobre isso reflexões profundamente dolorosas! Esse povo se embruteceu à vontade desde aproximadamente mil anos: em nenhuma parte se abusou com mais depravação dos dois grandes narcóticos europeus, o álcool e o cristianismo. Recentemente se chegou até mesmo a acrescentar um terceiro, que por si só bastaria para completar a ruína de toda sutil e ousada mobilidade do espírito; estou falando da música, de nossa música alemã, enlameada e atolada. Quanto peso desgostoso há nela, quanta paralisia, quanta umidade, quanta roupa de dormir, quanta cerveja há na inteligência alemã! Como é possível que jovens que dedicam sua existência aos fins mais espirituais não sintam neles o primeiro instinto da espiritualidade, o instinto de conservação do espírito — e bebam cerveja?... O alcoolismo da juventude instruída não é talvez ainda um enigma em relação a seu saber — mesmo sem espírito se pode ser um grande sábio —, mas, sob qualquer outro aspecto, continua sendo um problema. Onde não encontrar essa doce degenerescência que produz a cerveja no espírito? Num caso que ficou quase célebre, uma vez pus o dedo em semelhante chaga — a degenerescência de nosso primeiro livre-pensador alemão, o prudente David Strauss, que se tornou o autor de um evangelho de cervejaria e de uma "nova fé"... Não foi em vão que fez à "amável morena" (a cerveja — N. do T.), sua dedicatória em versos: Fiel até a morte.

3

Falei do espírito alemão: eu disse que se tornava mais grosseiro, mais chato. É bastante? No fundo, é outra coisa totalmente diversa que me espanta; como a seriedade alemã, a profundidade alemã, a paixão alemã pelas coisas do espírito vão sempre diminuindo. O *pathos* se transformou e não somente a inteligência. De vez em quando me aproximo das universidades alemãs: que atmosfera reina entre esses sábios, que espiritualidade vazia, satisfeita, esmorecida! Haveria de se enganar profundamente quem quisesse me objetar aqui o atual estado da ciência alemã — seria mais uma prova de que não foi lida nenhuma linha minha. Há dezoito anos não me canso de pôr às claras a influência deprimente de nosso cientificismo atual sobre o espírito. A dura escravidão a que a extensão imensa da ciência condena hoje cada indivíduo é uma das principais razões que faz com que naturezas com dons mais completos, mais ricos, mais profundos, não encontram mais educação e educadores a sua altura. Nada faz padecer tanto nossa cultura do que essa abundância de carregadores pretensiosos e de humanidades fragmentárias; nossas universidades são, apesar delas, verdadeiras estufas para esse gênero de enfraquecimento do espírito em seus instintos. Toda a Europa já começa a percebê-lo — a alta política não engana ninguém... A Alemanha é considerada sempre mais como o país vulgar da Europa. Estou ainda à procura de um alemão com quem possa ser sério a minha maneira — e muito mais com quem pudesse ousar ser alegre! Crepúsculo dos ídolos: Ah! Quem haveria de compreender hoje com que seriedade um filósofo repousa aqui! A serenidade, é o que há de mais incompreensível para nós...

4

Vejamos a questão por seu outro lado: não é só evidente que a cultura alemã está em decadência, mas ainda as razões suficientes para que isso ocorra não faltam. Em última instância, ninguém pode gastar mais do que tem: isso vale para os indivíduos como para os povos. Se se gasta para o poder, a alta política, a economia, o comércio internacional, o parlamentarismo, os interesses militares — se se dissipa desse lado a dose de razão, de seriedade, de vontade, de domínio de si que se possui, o outro lado deverá ressentir-se. A cultura e o Estado — que não se engane a respeito — são termos antagônicos: "Estado civilizado", é apenas uma ideia moderna. Um vive do outro, um prospera em detrimento do outro. Todas as grandes épocas de cultura são épocas de decadência política: o que foi grande no sentido da cultura foi não político e mesmo antipolítico... O coração de Goethe se abriu ante o fenômeno Napoleão — e se fechou diante das "guerras de independência"... No instante em que a Alemanha se eleva como grande potência, a França adquire nova importância como potência de cultura. Já hoje muita seriedade nova, uma nova paixão do espírito emigraram para Paris; a questão do pessimismo, por exemplo, a questão Wagner, quase todas as questões psicológicas e artísticas são examinadas lá com infinitamente mais delicadeza e profundidade que na Alemanha — os alemães são até incapazes desse tipo de seriedade. Na história da cultura europeia, a instituição do "império" significa, acima de tudo, uma coisa: um deslocamento do centro de gravidade. Em todos os lugares todos já se dão conta: no assunto principal — que é sempre a cultura — os alemães não são mais levados em consideração. Há quem pergunte: Podem apresentar até mesmo um só espírito que tenha algum prestígio na Europa? Um espírito como Goethe, Hegel, Heinrich Heine, ou Schopenhauer, que seja levado em consideração como eles? Que não haja mais sequer um só filósofo alemão, é um assombro que não conhece limites.

5

O que há de principal para toda a educação superior perdeu-se na Alemanha: a finalidade tanto quanto o meio para a finalidade. Esqueceu-se do fato de que a meta é a própria educação, a própria formação, e não "o império": o fato de que se precisava de educadores para alcançar essa meta — e não professores ginasiais e eruditos universitários... Educadores são necessários, educadores que sejam eles mesmos educados, espíritos superiores e nobres, que mostrem seu valor a cada instante, através da palavra e do silêncio, seres cujas culturas se tornaram maduras e doces. Não esses brutescos eruditos que as escolas e as universidades oferecem hoje em dia à juventude como um "amém superior".

Faltam educadores, descontadas as exceções das exceções, a primeira condição prévia da educação: daí a decadência da cultura alemã. Uma dessas exceções das mais raras de todas é meu amigo Jacob Burckhardt de Basileia, um homem digno de veneração: é a ele que Basileia deve, em primeiro lugar, sua proeminência no que concerne às humanidades. O que as "escolas superiores" alemãs conseguem de fato alcançar é um adestramento brutal para, com o dispêndio de tempo mais restrito possível, tornar um sem número de homens jovens utilizáveis para o serviço público; o que significa dizer, passíveis de serem explorados pelo Estado. "Educação superior" e um sem número de educandos: isto é por princípio uma contradição em si mesma.

Toda e qualquer educação superior pertence apenas à exceção: é preciso que se seja privilegiado, para se ter o direito a uma tão elevada distinção.. Todas as coisas boas, assim como todas as belas nunca podem ser um bem comum: *pulchrum est paucorum hominum*. O que condiciona a decadência da cultura alemã? O fato da "educação superior" não ser mais nenhuma prerrogativa: o democratismo da "formação universal", da "formação" que se tornou comum... Não esquecer que os privilégios militares impõem formalmente a frequência demasiada intensa das escolas superiores, isto é, seu declínio. Ninguém mais se encontra livre para dar, na Alemanha atual, uma educação nobre para suas crianças: nossas escolas "superiores" estão todas elas direcionadas pela mediocridade mais ambígua, com professores, com planos de aula, com objetivos pedagógicos. E por toda parte reina uma pressa indecente, como se fosse uma falta grave para o homem jovem ainda não estar "pronto" aos 23 anos, ainda não saber responder à "pergunta principal": que profissão escolher? Um tipo superior de homem, seja dito com vossa permissão, não ama "profissões", exatamente pelo fato de se saber diante de um chamamento... Ele tem tempo, ele toma o tempo para si, ele não pensa de modo algum em ficar "pronto". Com trinta anos se é, no sentido da cultura superior, um principiante, uma criança. Nossas escolas apinhadas, nossos professores sobrecarregados e tornados estúpidos são um escândalo: para defender esse estado de coisas, como fizeram recentemente os professores de Heidelberg, tem-se talvez causas, mas não há razões.

6

Eu apresento a partir de agora, para não perder o meu jeito afirmativo, esse jeito que só tem a ver mediado e involuntariamente com a contradição e a crítica, as três tarefas em virtude das quais se precisa de educadores. Tem-se de aprender a ver, tem-se de aprender a pensar, tem-se de aprender a falar e escrever: o alvo em todas as três é uma cultura nobre. Aprender a ver: acostumar os olhos à quietude, à paciência, a aguardar atentamente as coisas; protelar os juízos, aprender a circundar e envolver o caso singular por todos os lados. Esta é a primeira preparação para a espiritualidade: não reagir imediatamente a um estímulo, mas saber acolher os instintos que entravam e isolam. Aprender a ver, assim como eu o entendo, é quase isso que o modo de falar não filosófico chama de a vontade forte: o essencial nisso é precisamente o fato de poder não "querer", de poder suspender a decisão. Toda ação sem espiritualidade, bem como toda vulgaridade repousa sobre a incapacidade de sustentar uma oposição a um estímulo — o "precisa-se reagir" segue-se a cada impulso. Em muitos casos, uma tal necessidade já é prova de um caráter doentio, de decadência, de um sintoma de esgotamento. Quase tudo que a rudeza não filosófica denomina com o nome de "vício" é meramente aquela incapacidade fisiológica de não reagir. Uma aplicação do "ter-aprendido-a-ver": à medida que nos tornamos um destes que aprende, nos tornamos em geral lentos, desconfiados e resistentes. Deixa-se inicialmente advir todo tipo de coisa estranha e nova com uma quietude hostil — se retirará a mão daí. O ter todas as portas abertas, o deitar de bruços submisso diante de todo e qualquer pequeno fato, o inserir-se e o lançar-se sempre pronto para o salto no diverso, em resumo a célebre "objetividade moderna" é de mau gosto, sem nobreza por excelência.

7

Aprender a pensar: em nossas escolas se perdeu completamente a noção disso. Até nas universidades, até entre os sábios propriamente ditos da filosofia, a lógica, enquanto teoria, prática e ofício, começa a desaparecer. Ler livros alemães: nem sequer se recorda neles, nem de longe, que para pensar se necessita de uma técnica, de um plano de estudos, de uma vontade de magistério — que a arte de pensar deve ser aprendida como a dança, como uma espécie de dança... Quem conhece ainda por experiência, entre os alemães, esse leve estremecimento que faz passar por todos os músculos o pé leve das coisas espirituais? A surpreendente estupidez do gesto intelectual, a mão pesada ao tocar — isso é alemão a tal ponto que no exterior é confundido com o espírito alemão em geral. O alemão não tem tato para as nuances... O fato de que os alemães somente puderam suportar seus filósofos, sobretudo esse desmiolado nas ideias, o mais raquítico que jamais houve, o grande Kant, dá uma triste ideia da elegância alemã. É porque não é possível prescindir da educação nobre, da dança sob todas as formas. Saber dançar com os pés, com as ideias, com as palavras: é preciso dizer que não é menos necessário sabê-lo com a caneta — que é necessário aprender a escrever? Mas, neste ponto, para leituras alemãs eu me converteria totalmente num enigma...

RISCOS INOPORTUNOS

1

Meus impossíveis. — Seneca: ou o toureador da virtude. — Rousseau: ou o retorno à natureza em *in impuris naturalibus*. — Schiller: ou o trompetista moral de Säckingen. — Dante: ou as hienas que fazem poesia nos túmulos. — Kant: ou a cant [hipocrisia] enquanto caráter inteligível. — Vitor Hugo: ou o farol no mar do contrassenso. — Liszt: ou a escola da destreza segundo as mulheres. — George Sand: ou *lactea ubertas*; em alemão: a vaca leiteira com um "belo estilo". — Michelet: ou o entusiasmo despido. — Carlyle: ou o pessimismo quanto ao almoço azedado. — John Stuart Mill: ou a clareza ofensiva. — Os irmãos Goncourt ou os dois Ajax em luta com Homero (música de Offenbach). — Zola: ou "a alegria de feder".

2

Renan. — Teologia, ou a degradação da razão pelo "pecado original" (o cristianismo). O testemunho de Renan que, logo ao arriscar uma vez um Sim ou Não de modo mais universal, erra o alvo com uma regularidade penosa. Ele queria, por exemplo, ligar em uníssono *la science* e *la noblesse*: mas a ciência pertence à democracia, e isso é palpável. Ele deseja, com uma ambição nada desprezível, apresentar um aristocratismo do espírito: no entanto, ele aconchega ao mesmo tempo sobre seus joelhos, e não apenas sobre seus joelhos, a doutrina contrária: o evangelho dos humildes... De que serve toda essa conversa sobre liberdade do espírito, toda modernidade, toda zombaria e toda a flexibilidade de "papa-formigas", se em nossas entranhas continuarmos cristãos, católicos e até mesmo sacerdotes!

Renan possui toda sua inventividade, exatamente como um jesuíta e um confessor, na sedução; em sua espiritualidade não falta o largo sorriso eclesiástico. Como todo sacerdote, ele só se torna perigoso quando ama. Ninguém se equipara a ele no modo de louvar, um modo de louvar que coloca a vida em risco... Esse espírito de Renan, um espírito que debilita os nervos, é mais uma fatalidade para a pobre França doente, doente em sua vontade.

3

Sainte-Beuve. — Não tem nada de homem; é repleto de pequenos ódios contra todos os espíritos viris. Perambula aqui e acolá, refinado, curioso, entediado, escutando — um ser feminino no fundo, com vinganças de mulher e sensualidades de mulher. Como psicólogo, um gênio de maledicência; inesgotável nos meios de insinuar essa maledicência; ninguém entende tão bem como ele mistura veneno no elogio. Seus instintos inferiores são plebeus e parentes do ressentimento de Rousseau; portanto, é romântico — pois sob todo o romantismo gesticula e espia o instinto de vingança de Rousseau. Revolucionário, mas suficientemente contido pelo medo. Sem independência diante de tudo o que possui força (a opinião pública, a academia, a corte, sem excetuar Port-Royal). Irritado contra tudo o que acredita em si mesmo. Suficientemente poeta e meio mulher para sentir ainda a potência daquilo que é grande; continuamente enrolado como aquele célebre verme, porque está sempre sentindo que pisam nele. Sem medida em sua crítica, sem ponto de apoio e sem espinha dorsal, muitas vezes com a linguagem do libertino cosmopolita, mas sem mesmo ter coragem de confessar sua libertinagem. Sem filosofia enquanto historiador, sem a potência do olhar filosófico — por isso é que rejeita sua tarefa de julgar, em todas as questões essenciais, fazendo da "objetividade" uma máscara. Bem distinta é sua atitude diante das coisas nas quais um gosto refinado e flexível se torna juiz supremo: aí tem verdadeiramente a coragem e o prazer de ser ele mesmo — aí sabe ser mestre. Sob alguns aspectos, é um precursor de Baudelaire.

4

A *Imitação de Cristo* é um dos livros que não posso tomar nas mãos sem sentir em mim mesmo uma resistência fisiológica: exala um perfume de eterno feminino, para o qual é preciso ser francês, ou pelo menos wagneriano... Esse santo tem uma maneira de falar do amor que deixa curiosas até mesmo as parisienses. Disseram-me que o mais prudente dos jesuítas, Auguste Comte, que desejava conduzir os franceses a Roma por causa dos desvios da ciência, se inspirou nesse livro. Acredito: "a religião do coração"...

5

G. Eliot. — Eles se livraram do Deus cristão e agora acreditam, com maior razão ainda, dever conservar a moral cristã. É uma dedução inglesa, não queremos com isso censurar as mulherzinhas morais à moda de Eliot. Na Inglaterra, pela menor emancipação da teologia, é preciso preservar a honra, até provocar espanto como fanático da moral. É uma das maneiras de fazer penitência por lá. Para nós, isso ocorre de outro modo. Se se renuncia à fé cristã, elimina-se com o mesmo ato o direito à moral cristã. Isso não se entende de modo algum por si; é preciso colocar esse ponto sem cessar às claras, apesar desses ingleses com espíritos superficiais. O cristianismo é um sistema, um conjunto de ideias e de opiniões sobre as coisas. Se se extrai dele um conceito essencial, a crença em Deus, destrói-se ao mesmo tempo o todo — não se consegue conservar mais nada de necessário entre os dedos. O cristianismo admite que o homem não sabe, não possa saber o que é bom, o que é mau para ele: crê que só Deus o sabe. A moral cristã é um mandamento; sua origem é transcendente; está além de toda crítica, de todo direito à crítica; não encerra senão a verdade, admitindo que Deus seja a verdade, existe e cai com a fé em Deus. Se os ingleses acreditam, de fato, saber por si mesmos, "intuitivamente", o que é bem e mal, se imaginam, por conseguinte, não ter necessidade do cristianismo como garantia da moral, isso não é senão em si a consequência da soberania da evolução cristã e uma expressão da força e da profundidade dessa soberania: de modo que a origem da moral inglesa foi esquecida, de modo que a extrema dependência de seu direito a existir não é mais ressentida. Para o inglês, a moral não é ainda um problema...

6

George Sand. — Li as primeiras *Lettres d'un Voyaguer* (Cartas de um Viajante): como tudo o que procede de Rosseau, é falso, artificial, inchado, exagerado. Não consigo suportar esse estilo de papel de parede, bem como a ambição do populacho que aspira aos sentimentos generosos. E o que é pior é o exibicionismo feminino com toques varonis, com maneiras de garotos mal-educados. Quão fria devia ser, com tudo isso, essa artista insuportável! Ela se dava corda como a um relógio de parede, e escrevia... Fria como Victor Hugo, como Balzac, como todos os românticos, quando se sentavam em sua mesa de trabalho. E com quanta suficiência devia deitar-se, sobre a mesa, essa temível vaca escritora que tinha algo de alemão, como o próprio Rousseau, seu mestre, o que certamente só era possível quando o gosto francês ia à deriva! Mas Renan a venerava...

7

Moral para psicólogos. — Não fazer psicologia de vendedor ambulante! Nunca observar por observar! É o que dá uma falsa óptica, um "estrabismo", algo de forçado e de exagerado. Viver algo por querer vivê-lo, isso não resolve. Não é permitido, durante o acontecimento, olhar para seu lado; todo o olhar se converte então em "mau olhado". Um psicólogo de nascença evita por instinto olhar para ver: ocorre o mesmo com o pintor de nascença. Não trabalha jamais "de acordo com a natureza", ele se reporta a seu instinto, a seu quarto escuro para peneirar, para expressar o "caso", a "natureza", a "coisa vivida"... Só tem consciência da generalidade, da conclusão, da resultante: ignora essas deduções arbitrárias do caso particular. Que resultado se obtém quando se procede de outra maneira? Por exemplo, quando, ao estilo dos romancistas parisienses, se faz a grande e a pequena psicologia de vendedor? Espia-se, de certo modo, a realidade e se traz todas as noites um punhado de curiosidades... Mas olhem o que resulta disso: um amontoado de qualquer coisa, um mosaico no máximo e, em todos os casos, alguma coisa de acréscimo, de móvel, de agudo. São os Goncourt que alcançam o que há de pior nesse gênero. Não dispõem três frases, uma ao lado da outra, que não prejudiquem o psicólogo. A natureza, avaliada do ponto de vista artístico, não é um modelo. Exagera, deforma, deixa vazios. A natureza é o *acaso*. O estudo "segundo a natureza" me parece um mau sinal: revela a submissão, a fraqueza, o fatalismo, essa prosternação diante dos pequenos fatos é indigna de um artista completo. Ver o que é, isso faz parte de outra categoria de espíritos, os espíritos antiartísticos, concretos. É preciso saber quem se é...

8

Para a psicologia do artista. — Para que haja arte, para que haja uma ação ou uma contemplação estética qualquer, uma condição fisiológica preliminar é indispensável: a embriaguez. É preciso em primeiro lugar que a embriaguez tenha aumentado a irritabilidade de toda a máquina: de outra forma, a arte é impossível. Todos os tipos de embriaguez, ainda que estejam condicionados o mais diversamente possível, têm potência de arte: acima de tudo a embriaguez da excitação sexual, que é a forma de embriaguez mais antiga e primitiva. De igual modo, a embriaguez que acompanha todos os grandes desejos, todas as grandes emoções; a embriaguez da festa, da luta, do ato de bravura, da vitória, de todos os movimentos extremos; a embriaguez da crueldade, a embriaguez da destruição a embriaguez sob certas influências meteorológicas, por exemplo, a embriaguez da primavera, ou então sob a influência dos narcóticos; finalmente, a embriaguez da vontade, a embriaguez de uma vontade acumulada e dilatada. O essencial na embriaguez é o sentimento da força aumentada e da plenitude. Sob o domínio desse sentimento nos abandonamos às coisas, as obrigamos a tomar algo de nós, as violentamos, esse *processus* é chamado idealizar. Livrem-nos aqui de um preconceito: idealizar não consiste, como geralmente se crê, numa dedução e uma subtração do que é pequeno e acessório. O que há de decisivo, ao contrário, é uma formidável erosão dos traços principais, de modo que os demais traços desapareçam.

9

Nesse estado enriquecemos tudo com nossa própria plenitude: o que se vê, o que se quer, se vê inflado, concentrado, vigoroso, sobrecarregado de força. O homem, assim condicionado, transforma as coisas até que reflitam sua potência, até que se tornem reflexos de sua perfeição. Essa transformação forçada, essa transformação naquilo que é perfeito é arte. Tudo, até o que não existe, se torna apesar disso, para o homem, a alegria em si; na arte, o homem usufrui de sua pessoa enquanto perfeição. Seria permitido configurar-se um estado contrário, um estado específico dos instintos antiartísticos, uma maneira de se comportar que empobreceria, diminuiria, enfraqueceria todas as coisas. E, com efeito, a história é rica de antiartistas dessa espécie, de famintos de vida, para os quais é uma necessidade apoderar-se das coisas, consumi-las, torná-las mais fracas. É o caso do verdadeiro cristão, de Pascal por exemplo; um cristão que fosse ao mesmo tempo um artista, não existe... Que não se cometa a infantilidade de me objetar com Rafael ou qualquer cristão homeopático do século XIX. Rafael dizia sim, Rafael criava a afirmação, logo Rafael não era um cristão...

10

Que significam as oposições de ideias entre apolíneo e dionisíaco, que introduziram na estética, ambas consideradas como categorias da embriaguez? A embriaguez apolínea produz, acima de tudo, a irritação dos olhos que confere aos olhos a faculdade da visão. O pintor, o escultor, o poeta épico são visionários por excelência. Em contrapartida, no estado dionisíaco, todo o sistema emotivo está irritado e amplificado: de modo que descarrega de um só golpe todos os seus meios de expressão, expulsando sua força de imitação, de reprodução, de transfiguração, de metamorfose, toda espécie de mímica e de arte de imitação. A facilidade da metamorfose é o essencial, a incapacidade de não reagir (como ocorre com certos históricos que, obedecendo a todos os gestos, se prestam a todos os papéis). O homem dionisíaco é incapaz de não compreender uma sugestão qualquer, não deixa escapar nenhum vestígio de emoção, possui no mais alto grau o instinto compreensivo e adivinhador, como possui no mais alto grau a arte de se comunicar com os outros. Sabe revestir todas as formas e todas as emoções: transforma-se continuamente. A música, como a entendemos hoje, não é igualmente senão uma irritação e uma descarga completa das emoções, mas não é mais que o resto de um mundo de expressões emocionais muito mais amplo, um resíduo do histrionismo dionisíaco. Para tornar a música possível, enquanto arte especial, imobilizou-se certo número de sentidos, em primeiro lugar o sentido muscular (ao menos em alguma medida: pois, sob um ponto de vista relativo, todo ritmo fala ainda a nossos músculos) de maneira que o homem não possa mais imitar e representar corporalmente tudo o que sente. Contudo esse é precisamente o verdadeiro estado normal dionisíaco e, em todos os casos, o estado primitivo. A música é a especificação desse estado, especificação lentamente adquirida, em detrimento das faculdades próximas.

11

O ator, o imitador, o dançarino, o poeta lírico; são fundamentalmente parentes em seus instintos e formam um todo cujas partes se especializaram e se separaram pouco a pouco, chegando até mesmo à contradição. O poeta lírico foi o que permaneceu mais tempo unido ao músico, ao ator, ao dançarino. O arquiteto não representa nem um estado apolíneo nem um estado dionisíaco: nele reside o grande ato de vontade, a vontade que move montanhas, a embriaguez da grande vontade que tem o desejo da arte. Os homens mais poderosos sempre inspiraram os arquitetos; o arquiteto esteve continuamente sob a sugestão do poder. No edifício, o arrojo, a vitória sobre a gravidade, a vontade de potência devem ser tornadas visíveis: a arquitetura é uma espécie de eloquência do poder pelas formas, ora convincente e até acariciante, ora dando somente ordens. O sentimento mais elevado de potência e de segurança encontra sua expressão naquilo que é de *grande* estilo. A potência que não necessita mais de demonstração, que desdenha o agradar, que dificilmente responde, que não vê testemunhas em torno de si, que, sem ter consciência delas, vive das objeções que lhe são feitas, que descansa sobre si mesma, fatalmente uma lei entre as leis: aí está o que fala de si mesmo em grande estilo.

12

Li sobre a vida de Thomas Carlyle, essa farsa involuntária, essa interpretação heroico moral do mal-estar dispéptico. Carlyle, um homem de palavras fortes e de atitudes fortes, um retórico por necessidade, excitado continuamente pelo desejo de uma profunda fé e por sua incapacidade em consegui-la (nisso, um romântico típico!). O desejo de uma fé vigorosa não é prova de possuí-la, muito pelo contrário. Quando se possui essa fé, há como permitir-se o luxo do ceticismo: fica-se bastante seguro, bastante firme, bastante ligado para poder fazê-lo. Carlyle aturdiu algo em si mesmo com o fortíssimo de sua veneração pelos homens de uma fé profunda e por sua raiva contra os menos estúpidos: sente necessidade do barulho. Uma deslealdade para consigo mesmo, constante e apaixonada, é isso o que lhe é próprio, é com isso que se torna interessante. É verdade que na Inglaterra o admiram precisamente por causa de sua deslealdade... Pois bem! Isso é muito inglês e se se considera que os ingleses são o povo do *cant* perfeito, é até mesmo legítimo e não somente compreensível. No fundo, Carlyle é um ateu inglês que quer apostar sua própria honra para não o ser.

13

Emerson. É muito mais esclarecido, mais vagabundo, mais múltiplo, mais refinado que Carlyle, e sobretudo, é mais feliz... É daqueles que instintivamente se alimentam apenas de ambrosia e que deixam de lado o que há de indigesto nas coisas. Ao contrário de Carlyle, é um homem de bom gosto. Carlyle, que nutria por ele muita estima, dizia dele, apesar disso: "Não nos dá o suficiente para entretermos os dentes". Isso poderia ter sido dito com razão, mas não em detrimento de Emerson. Emerson possui essa boa e espiritual serenidade que desencoraja toda seriedade; não sabe de forma alguma como já está velho e como continua jovem ainda, podia falar dele mesmo com estas palavras de Lope de Vega: *"Yo me sucedo a mi mismo"*. Seu espírito encontra sempre razões para estar feliz e mesmo grato; e às vezes roça a serena transcendência daquele homem digno que voltava de um encontro amoroso *tanquam re bene gesta* (como uma coisa bem-feita). "*Ut desint vires*, dizia com gratidão, *tamen est laudanda voluptas*" (Mesmo faltando as forças, a voluptuosidade merece ser louvada).

14

Antidarwin. — No que se refere à famosa "Luta pela Vida", parece-me que está provisoriamente mais afirmada que demonstrada. Apresenta-se, mas como exceção; o aspecto geral da vida não é a indigência, a fome, mas bem pelo contrário, a riqueza, a opulência, até mesmo a absurda prodigalidade; onde há luta, é pelo Antidarwin... Não se deve confundir Malthus com a natureza. Entretanto, admitindo que essa luta exista, e aconteça de fato, termina infelizmente de uma maneira contrária àquela que desejaria a escola de Darwin, àquela que se ousaria talvez desejar com ela: quero dizer em detrimento dos fortes, dos privilegiados, das exceções felizes. As espécies não crescem na perfeição: os fracos acabam sempre por se tornarem senhores dos fortes, porque têm em seu favor a massa do povo, são também mais astutos... Darwin esqueceu o espírito (isso é bem inglês!), os fracos têm mais espírito... É preciso ter necessidade de espírito para chegar a ter espírito (perde-se o espírito quando não se tem mais necessidade dele). Aquele que tem força se desfaz do espírito ("Deixa-o ir em frente — pensa-se hoje na Alemanha —, é preciso que o império continue nosso..."). Como se costuma vê-lo, entendo aqui por espírito a circunspecção, a paciência, a astúcia, a dissimulação, o grande domínio de si e tudo que é *mimicry* (uma grande parte do que chamamos virtude pertence a essa última).

15

Casuística de psicólogo. — Esse conhece os homens: por que então os estuda? Não quer obter deles pequenas vantagens, nem mesmo grandes, é um homem político!... Aquele conhece também os homens: e diz que não quer obter nada para si mesmo; é, dizem vocês, um grande "impessoal". Olhem-no, portanto, mais de perto! Talvez queira mesmo uma vantagem ainda pior: sentir-se superior aos homens, ter o direito de olhá-los do alto, não se confundir mais com eles. Esse "impessoal" despreza os homens: e o primeiro é da espécie mais humana, apesar do que possam mostrar as aparências. Ele se coloca pelo menos como igual aos outros, coloca-se no meio...

16

O tato psicológico dos alemães me parece ser posto em dúvida por uma série de fatos cuja denominação minha modéstia me impede de apresentar. Não me faltariam grandes ocasiões para demonstrar minha tese: guardo rancor dos alemães por se terem enganado sobre Kant e sua "filosofia das portas dos fundos", como a chamo, não era esse certamente o modelo da honestidade intelectual. O que não posso entender tampouco é este "*e*" infame: os alemães dizem "Goethe e Schiller", fico receoso que digam "Schiller e Goethe"... Não conhecem, portanto, ainda esse Schiller? Há "*e*" ainda piores. Já ouvi pessoalmente dizer, é verdade que unicamente entre professores de Universidade: "Schopenhauer e Hartmann"...

17

Só às almas mais espirituais, admitindo que sejam as mais corajosas, é dado viver as tragédias mais dolorosas: mas é por isso que estimam a vida, porque ela lhes opõe seu maior antagonismo.

18

Para a "consciência intelectual". — Nada me parece hoje mais raro que a verdadeira hipocrisia. Tenho grandes suspeitas que essa planta não suporta o ar doce de nossa civilização. A hipocrisia faz parte da época das sólidas crenças, em que, mesmo sendo forçado a exibir uma crença diferente da própria, não se abandonava a própria fé. Hoje se abandona ou, o que é mais frequente, não se adere a uma segunda crença, em todos os casos se permanece honesto. É incontestável que em nossos dias é possível ter um número maior de convicções que em outras épocas: possível, ou seja, permitido, o que significa inofensivo. É o que produz a tolerância para consigo mesmo. A tolerância para consigo mesmo permite muitas convicções: essas convicções vivem em boa harmonia, se resguardam bem, como todos hoje, para não se comprometerem. Com o que hoje se costuma comprometer-se? Com o espírito de consequência; quando se segue uma linha reta; quando a gente não se presta a duplo sentido, quero dizer a quíntuplo sentido; quando se é verídico... Receio que, para certos vícios, o homem moderno seja simplesmente muito acomodado: o que faz com que esses vícios se extingam literalmente. Todo o mal que depende da vontade forte, e talvez não haja mal sem força de vontade, degenera-se em virtude em nossa atmosfera morna... Os raros hipócritas que cheguei a conhecer imitavam a hipocrisia: eram atores, como uma em cada dez pessoas nos dias de hoje.

19

Belo e feio. — Não há nada mais confidencial, digamos mais restrito que nosso sentido do belo. Aquele que quisesse imaginá-lo para si, abstraído da alegria que o homem causa ao homem, sentiria imediatamente faltar-lhe o apoio sob os pés. O "belo em si" é apenas uma expressão, não chega a ser uma ideia. No belo, o homem se põe como medida da perfeição; em casos específicos, ele se adora. Uma espécie não pode fazer absolutamente outra coisa a não ser afirmar-se dessa maneira. Seu instinto mais elementar, o da conservação e da ampliação de si, se reflete ainda em semelhantes sublimidades. O homem imagina que é o próprio mundo que está sobrecarregado de belezas, e se esquece enquanto causa dessas belezas. Ele e ninguém mais foi que cumulou delas o mundo. Ai! De uma beleza muito humana, nada mais que demasiadamente humana!... Em resumo, o homem se reflete nas coisas, tudo aquilo que espelha sua imagem lhe parece belo. O juízo "belo" é sua vaidade da espécie... Entretanto, um pouco de desconfiança pode deixar penetrar esta pergunta no ouvido do cético: o mundo se embelezou verdadeiramente por que é precisamente o homem que o considera belo? Ele o representou sob uma forma humana: eis tudo. Mas nada, absolutamente nada, nos garante que o modelo da beleza seja o homem. Quem sabe o efeito que produziria aos olhos de um juiz superior do gosto? Pareceria talvez ousado? Talvez até mesmo divertido? Talvez um pouco arbitrário?..."Ó Dionísio, divino, por que me puxas as orelhas?", perguntou um dia Ariadne a seu filosófico amante, num de seus célebres diálogos na ilha de Naxos. "Encontro algo agradável em tuas orelhas, Ariadne: por que não são mais longas ainda?"

20

Nada é belo, somente o homem é belo: nessa ingenuidade repousa toda a estética, é a sua primeira verdade. Acrescentemos logo a segunda: nada é feio, se o homem não o degenerar, com isso fica circunscrito o império dos juízos estéticos. Do ponto de vista fisiológico, tudo o que é feio enfraquece e deprime o homem. Isso o leva a pensar na decomposição, no perigo, na impotência. No feio perde-se decisivamente força. O efeito da feiura pode ser medido com o dinamômetro. Em geral, quando o homem experimenta um estado de abatimento, fareja a proximidade de algo "feio". Seu sentimento de potência, sua vontade de potência, sua coragem, sua altivez, tudo isso diminui com o feio e cresce com o belo... Em ambos os casos tiramos uma conclusão: as premissas estão acumuladas abundantemente no instinto. Vemos no feio um sinal e um sintoma da degenerescência: o que lembra de perto ou de longe a degenerescência, provoca em nós o juízo do "feio". Todo indício de esgotamento, de peso, de velhice, de cansaço, toda espécie de constrangimento, como a cãibra, a paralisia, e sobretudo o odor, a cor, a forma da decomposição, ainda que não seja em sua última atenuação, sob forma de símbolo, tudo isso provoca a mesma reação: o juízo do "feio". Aqui emerge um ódio: a quem o homem odeia? A respeito disso não resta nenhuma dúvida: o rebaixamento de seu tipo. Odeia do fundo de seu mais profundo instinto da espécie; nesse ódio há um estremecimento, prudência, profundidade, clarividência, é o ódio mais profundo que possa existir. É por causa dele que a arte é profunda...

21

Schopenhauer. — O último alemão digno de ser levado em conta (é um acontecimento europeu como Goethe, como Hegel, como Heinrich Heine, e não somente um acontecimento local, "nacional"), Schopenhauer é para o psicólogo um caso de primeira ordem: quero dizer enquanto tentativa maldosamente genial de fazer entrar em campo, em favor de uma depreciação completa e niilista da vida, as instâncias contrárias: a grande afirmação de si, da "vontade da vida", as formas exuberantes da vida. Interpretou, um após outro, a arte, o heroísmo, o gênio, a beleza, a grande compaixão, o conhecimento, a vontade do verdadeiro, a tragédia como consequência da "negação" ou da necessidade de negação da "vontade", o maior caso de falsificação psicológica que a história registra, exceção feita do cristianismo. Olhando mais de perto, não passa de herdeiro da interpretação cristã: com a diferença de que ele soube aprovar também, num sentido cristão, isto é, niilista, o que o cristianismo havia rejeitado, os grandes feitos da civilização humana (ele os aprovou como caminhos da "redenção", como formas primeiras da "redenção", como estimulantes da necessidade de "redenção"...).

22
Vou tomar um caso isolado. Schopenhauer fala da beleza com um ardor melancólico. — Por que age assim? Porque vê nela uma ponte pela qual se pode ir mais longe, ou na qual se adquire a ânsia de ir mais longe... A beleza é para ele a libertação da "vontade" por alguns momentos, ela atrai para uma libertação eterna... Ele a elogia sobretudo como redentora do "foco da vontade", da sexualidade ; na beleza vê a negação do gênio da reprodução... Santo bizarro! Alguém te contradiz, temo por isso, e é a natureza. Por que há beleza nos sons, nas cores, nos perfumes e nos movimentos rítmicos da natureza? O que é que impulsiona a beleza para fora? Felizmente também é um filósofo que o contradiz, e não dos piores. O divino Platão (como o chama o próprio Schopenhauer) sustenta com sua autoridade outra tese: que toda beleza impele à reprodução, que é esse precisamente o efeito que lhe é próprio, desde a baixa sensualidade até a mais alta espiritualidade...

23
Platão vai mais longe. Diz, com uma inocência para a qual é preciso ser grego, e não "cristão", que não haveria de forma alguma filosofia platônica se não tivessem existido tão belos jovens em Atenas: somente sua contemplação é que transporta a alma dos filósofos num delírio erótico e não os deixa em repouso até que não tenham espalhado a semente de todas as coisas elevadas de um mundo tão belo. Aí está outro santo bizarro! Não se crê em seus ouvidos, mesmo admitindo que se creia em Platão. Adivinha-se, ao menos, que em Atenas se filosofava de outro modo, acima de tudo, isso se fazia em público. Nada é menos grego que se dedicar, como um solitário, a tecer teias de aranha com as ideias, *amor intellectualis Dei*, à maneira de Spinoza. Melhor seria definir a filosofia, como a praticava Platão, como uma espécie de palestra erótica, que continha e aprofundava a antiga ginástica agonal com todas as suas condições que a precediam... O que é que resultou, em última análise, desse erotismo filosófico de Platão? Uma nova forma da arte do Agon grego, a dialética. Relembro ainda contra Schopenhauer e a favor de Platão, que toda a elevada cultura literária da França clássica se desenvolveu em torno de interesses sexuais. Nela podem ser procurados em toda parte a galanteria, os sentidos, a luta sexual, a "mulher", nunca serão procurados em vão...

24

A arte pela arte. — A luta contra a finalidade na arte é sempre uma luta contra as tendências moralizadoras na arte, contra a subordinação da arte à moral. A arte pela arte quer dizer: "Que o diabo carregue a moral!". Mas essa inimizade denuncia ainda o poder preponderante do preconceito. Quando foi excluída da arte a finalidade de moralizar e de melhorar os homens, não se segue ainda que a arte deva carecer em absoluto de uma finalidade, sem objetivo e desprovida de sentido, numa palavra, a arte pela arte, uma serpente que morde a própria cauda. "Antes não ter um fim que ter um fim moral!" Assim fala a paixão genuína. Um psicólogo pergunta, ao contrário: O que faz toda espécie de arte? Não elogia? Não glorifica? Não isola? Com tudo isso a arte fortalece ou enfraquece certas avaliações... Isso não é precisamente um acessório, um acaso? Alguma coisa da qual o instinto do artista não participaria de modo algum? Ou então a faculdade de poder do artista não é a condição primeira da arte? O instinto mais profundo do artista se dirige à arte ou, melhor, não se canaliza ao sentido da arte, à vida, a um desejo de vida? A arte é o grande estimulante da vida: como se poderia chamá-la sem finalidade, sem objetivo, como se poderia chamá-la a arte pela arte? Resta outra questão: não mostra a arte muitas coisas que toma da vida, feias, duras, duvidosas? De fato, houve filósofos que lhe deram este sentido: "emancipar-se da vontade", e essa era a intenção que Schopenhauer atribuía à arte; "dispor à resignação", isso era para ele a grande utilidade da tragédia que venerava. Mas isso, como já o dei a entender, é a ótica de um pessimista, é o "mau olho": cumpre convocar os próprios artistas a respeito. "O que nos comunica de si mesmo o artista trágico?" Não afirma precisamente a ausência de temor diante do terrível e do incerto? Esse estado é um desejo superior; aquele que o conhece o honra com as maiores homenagens. Ele o comunica, necessita comunicá-lo, supondo que seja artista, gênio da confidência. A bravura e a liberdade do sentimento diante de um inimigo poderoso, diante de um revés sublime, diante de um problema que espanta, é esse estado vitorioso que o artista trágico escolhe, que glorifica. Diante do trágico, a corte marcial de nossa alma celebra suas saturnálias; aquele que está habituado ao sofrimento, aquele que procura o sofrimento, o homem heroico, celebra sua existência na tragédia; é somente a sua própria vida que o artista trágico oferece a taça dessa crueldade, a mais doce.

25

Moldar-se aos homens, ter casa aberta no coração, isso é liberal, mas não é mais que liberal. Reconhecem-se os corações que só são capazes de hospitalidade caracterizada por numerosas janelas cortinadas e venezianas fechadas:

seus melhores aposentos estão vazios. Por quê? Porque esperam hóspedes aos quais não podem tratar "do jeito que der"...

26

Não nos estimamos o bastante quando nos comunicamos. O que nos acontece verdadeiramente não é de modo algum eloquente. Ainda que os acontecimentos o quisessem, não poderiam comunicar-se por si mesmos. Carecem de palavras para isso. Estamos acima das coisas que podemos exprimir por meio de palavras. Em todos os discursos há um quê de desprezo. Ao que parece, a linguagem não foi inventada senão para as coisas medíocres, médias, comunicáveis. Com a linguagem, aquele que fala já se vulgariza. Extraído de uma moral para surdos e outros filósofos.

27

"Este quadro é encantador!..." A mulher literata, insatisfeita, excitada, vazia no fundo do coração e das entranhas, ouvindo o tempo todo com uma curiosidade dolorosa, o imperativo que, das profundezas de seu organismo, sussurra: "*aut liberi aut libri*"; a mulher literata, bastante instruída para ouvir a voz da natureza, mesmo quando fala em latim e, por outro lado, bastante vaidosa, bastante pequena gansa para dizer-se a si mesma em segredo e em seu próprio idioma: "Eu me verei, eu me lerei, me extasiarei e direi: é possível que eu tenha tanto talento?".

28

Os "impessoais" *falam*. — "Nada nos mais é fácil do que ser prudentes, pacientes, superiores. Destilamos o óleo da indulgência e da simpatia, levamos a justiça até o absurdo, perdoamos tudo. Por isso deveríamos nos criar, de tempos em tempos, uma pequena paixão, um pequeno vício passional. Isso pode nos ser amargo e, entre nós, talvez ríssemos do aspecto que isso nos daria. Para que serve isso? Não nos resta outra maneira de nos superarmos a nós mesmos: é nosso ascetismo, nossa maneira de fazer penitência... Tornar-se pessoal — é a virtude dos impessoais..."

29

De um exame de doutorado. — "Qual é a missão de toda instrução superior? — Fazer do homem uma máquina. — Que meios devem ser empregados para isso? — Ensinar o homem a aborrecer-se. — Como se consegue isso? Com a noção do dever. — Quem deve ser apresentado a ele como modelo? — O filólogo que ensina a trabalhar obstinadamente. — Qual é o homem perfeito? — O funcionário do Estado. — Qual é a filosofia que fornece a fórmula superior ao funcionário do Estado? — A de Kant; o funcionário enquanto coisa em si, colocado acima do funcionário enquanto aparência."

30

O direito à estupidez. — O trabalhador fatigado que respira lentamente, que tem o olhar terno, que deixa as coisas andar: essa figura típica que se encontra agora, no século do trabalho (e do "império"!), em todas as classes da sociedade, hoje lança mão da arte, inclusive do livro, mas antes de tudo do jornal, e muito mais ainda da bela natureza, da Itália, por exemplo... O homem da tarde, com os "instintos selvagens adormecidos" de que fala Fausto, tem necessidade do veraneio, dos banhos de mar, da neve, de Bayreuth... Em épocas como a nossa, a arte tem direito à rainha Torheit, como uma espécie de férias do gênio, da verbosidade e do sentimento. Wagner o compreendeu. A rainha Torheit restabelece...

31

Mais um problema de dieta. — Os meios de que se servia Júlio César para se defender do estado doentio e das dores de cabeça: grandes caminhadas, estilo de vida o mais simples possível, permanência ininterrupta ao ar livre, fadigas contínuas, são essas, em resumo, as medidas de preservação e de conservação contra a extrema vulnerabilidade desta delicada máquina sutil que trabalha sob a mais alta pressão, desta máquina que se chama gênio.

32

Fala o imoralista. — Nada há de mais contrário aos gostos do filósofo que o homem enquanto deseja... Se não vê o homem senão em suas ações, se vê esse animal mais bravo, mais astuto e mais sofrido, desgarrado em angústias inextricáveis, quão admirável lhe parece o homem! E ele ainda o encoraja... Mas o filósofo despreza o homem que deseja e também aquele que pode parecer desejável — e em geral toda desejabilidade, todos os ideais do homem. Se um filósofo pudesse ser niilista, o seria porque encontra o nada atrás de todos os ideais. E nem sequer o nada, mas somente o que é fútil, absurdo, doentio, cansado, toda espécie de borra na taça vazia de sua existência... O homem que é tão venerável enquanto realidade, por que não merece estima quando deseja? É necessário que compense seus atos, a tensão de espírito e de vontade que subsiste em toda ação, com uma paralisia no imaginário e no absurdo? A história de seus desejos tem sido até agora a parte vergonhosa do homem. É preciso evitar de ler por demasiado tempo essa história. Aquilo que justifica o homem é sua realidade, ela o justificará eternamente. E quanto mais valor tem o homem real, se for comparado com um homem qualquer que não é mais que uma trama de desejos, de fedores, de sonhos e de mentiras? Com um homem ideal qualquer?... Só o homem ideal é contrário aos gostos do filósofo.

33

Valor natural do egoísmo. — O amor de si só vale em relação ao valor fisiológico daquele que o pratica: pode valer muito, pode ser indigno e desprezível. Cada indivíduo deve ser apreciado segundo represente a linha ascendente ou a linha descendente da vida. Julgando o homem dessa maneira se obtém também a regra que determina o valor de seu egoísmo. Se representar a linha ascendente, seu valor é efetivamente extraordinário, no interesse da vida total que com ele dá um passo à frente, o cuidado de conservação, de criar seu *optimum* de condições vitais deve ser realmente extremo. O homem isolado, o "indivíduo", tal como foi entendido até agora pelo povo e pelos filósofos, é um erro: não é nada em si, não é um átomo, um "elo da cadeia", uma herança deixada pelo passado, ele é a única linhagem do homem até chegar a si mesmo... Se representar a evolução descendente, a ruína, a degenerescência crônica, a doença (em geral, as doenças já são sintomas de degeneração e não sua causa), sua parte de valor é bem fraca e a mera equidade exige que se usurpe o menos possível dos homens de constituições perfeitas. Ele nada mais é que seu parasita...

34

Cristão e anarquista. — Quando o anarquista, como porta-voz das camadas sociais em decadência, reclama com bela indignação o "direito", a "justiça", os "direitos iguais", fala sob a pressão de sua própria incultura, que não sabe compreender por que no fundo ele sofre, por causa da pobreza de sua vida... Há nele um instinto de causalidade que o impele a raciocinar: Alguém deve ter culpa de meu mal-estar... Essa "bela indignação" já lhe faz um bem por si só, é um verdadeiro prazer para um pobre poder injuriar — nisso ele encontra uma pequena embriaguez de poder. Já a queixa, o mero fato de se queixar, pode dar à vida um atrativo que a torne suportável: em toda queixa há uma dose refinada de vingança, recrimina-se o próprio mal-estar, em alguns casos até mesmo a própria inferioridade como uma injustiça, como um privilégio iníquo para aqueles que se encontram em outras condições. "Já que sou um canalha, tu deverias sê-lo também" — é com esta lógica que se fazem as revoluções. As lamentações jamais valem alguma coisa: procedem sempre da fraqueza. Que se atribua o próprio mal-estar aos outros ou a si mesmo — aos outros o socialista, a si mesmo o cristão; não há nisso propriamente nenhuma diferença. Em ambos os casos, alguém deve ser culpado e é aí que reside algo de indigno, pois aquele que sofre prescreve contra seu sofrimento o mel da vingança. Os objetos dessa necessidade de vingança nascem, como necessidades de prazer, de causas ocasionais: aquele que sofre encontra em toda parte razões para refrescar seu ódio mesquinho — se é cristão, repito, as encontra em si mesmo... O cristão e o anarquista, ambos são decadentes. Quando o cristão condena, difama e denigre o mundo, o faz pelo mesmo instinto que impele o operário socialista a condenar, difamar e denegrir a sociedade. O "Juízo Final" constitui o mais doce consolo da vingança, é a revolução tal como a espera o trabalhador socialista, mas concebida em tempos um pouco mais distantes... O próprio "além", para que serviria esse além, se não fosse para fazer subir o "aquém" desta terra?...

35

Crítica da moral de "decadência". — Uma moral "altruísta", uma moral em que se resseca o amor de si é, de qualquer maneira, um mau sinal. Isso é verdade para os indivíduos, isso é verdade, acima de tudo, para os povos. O melhor faz falta quando o egoísmo começa a faltar. Escolher instintivamente o que é prejudicial, deixar-se seduzir por motivos "desinteressados", essa é quase a fórmula da decadência. "Não procurar seu próprio interesse", essa é simplesmente a folha de parreira moral para uma realidade totalmente diferente, quero dizer, fisiológica: "Não consigo mais encontrar meu interesse". Desagregação dos instintos! Acabou-se para o homem, quando se torna altruísta. Em lugar de dizer ingenuamente: "Eu não valho mais nada", a mentira moral diz, pela boca do decadente: "Não há nada que valha, a vida não vale nada"... Semelhante juízo acaba por converter-se num grande perigo, tem uma ação contagiosa, sobre todo o solo mórbido da sociedade abunda uma vegetação tropical de ideias, ora sob forma de religião (cristianismo), ora sob forma de filosofia (schopenhauerismo). Acontece que semelhante vegetação de plantas venenosas, nascidas da podridão, envenena a vida com suas emanações, durante séculos.

36

Moral para médicos. — O doente é um parasita da sociedade. Quando chega a certo estado, é inconveniente viver mais tempo. A obstinação em vegetar covardemente, escravo dos médicos e das práticas médicas, depois que já se perdeu o sentido da vida, o direito à *vida*, deveria inspirar à sociedade um desprezo profundo. Os médicos, por seu lado, poderiam ser os intermediários desse desprezo — não dariam mais receitas, mas levariam cada dia a seus pacientes uma nova dose de desgosto... Seria preciso uma nova responsabilidade, para o médico, para todos os casos em que o mais alto interesse da vida, da vida ascendente, exige que se afaste e que se pise sem compaixão na vida degenerescente — por exemplo, em nome do direito de viver... Morrer altivamente quando já não é possível viver altivamente. A morte livremente escolhida, a morte no dia assinalado, com lucidez e com coração alegre, em meio a meninos e testemunhas, quando ainda é possível um adeus real, quando aquele que nos abandona existe ainda e que é verdadeiramente capaz de avaliar o que quis, o que conseguiu, de recapitular sua vida. Tudo isso está em oposição com a lamentável comédia que o cristianismo representa na hora da morte. Jamais se perdoará ao cristianismo ter abusado da debilidade do moribundo para violentar sua consciência, ter tomado a atitude do moribundo como pretexto para um juízo sobre o homem e seu passado! Trata-se aqui, a despeito de todas as covardias do preconceito, de restabelecer a apreciação exata, isto é, fisiológica, do que se chama de morte natural: essa morte que, em definitivo, não é natural, mas realmente um suicídio. Jamais se morre por outro, mas por si próprio. Contudo, a morte nas condições mais desprezíveis é uma morte que não é livre, que não vem num momento desejado, uma morte de covarde. Por amor à vida se deveria desejar uma morte diferente, uma morte livre e consciente, sem acaso e sem surpresa... Enfim, aí vai um conselho para os senhores pessimistas e outros decadentes. Não temos em mãos um meio que possa nos impedir de nascer: mas podemos reparar essa falta, pois às vezes é uma falta. O fato de suprimir-se é o mais estimável de todos os atos: quase dá direito a viver... A sociedade, que digo, a própria vida leva disso mais vantagem que qualquer outra "vida" passada na renúncia, entre cores pálidas e outras virtudes; livramos as outras de sua aparência, livramos a vida de uma objeção. O pessimismo puro, o pessimismo vivo não é demonstrado senão pela refutação que os senhores pessimistas fazem de si mesmos: têm que dar um passo a mais em sua lógica e não somente negar a vida com "a vontade e a representação", como fez Schopenhauer — é preciso acima de tudo negar Schopenhauer... O pessimismo, dizendo de passagem, por contagioso que seja, não aumenta contudo o estado doentio de uma época, de uma raça em seu conjunto: é a expressão desse estado. Sucumbe-se a isso como se sucumbe à cólera: é preciso ter já predisposições mórbidas — o pessimismo em si não cria um decadente a mais. Lembro essa constatação da estatística que mostra que os anos em que a cólera devasta não se distinguem dos outros, quanto aos números totais da mortalidade.

37

Nós nos tornamos mais morais? — Contra minha noção "além do bem e do mal", seria de se esperar toda a ferocidade do embrutecimento moral que, como se sabe, passa na Alemanha por ser a própria moral, se lançou arrojadamente ao assalto: teria belas histórias a contar a respeito. Antes de tudo, quiseram me fazer compreender a "inegável superioridade" de nosso tempo em matéria de opinião moral, nosso verdadeiro progresso nesse domínio: impossível aceitar que um César Bórgia, comparado conosco, possa ser apresentado, como o fiz, como um "homem superior", como uma espécie de super-homem... Um redator suíço do *Bund*, não sem manifestar o apreço que lhe inspirava a coragem de semelhante empresa, chegou até a "compreender" em minha obra que eu propunha a abolição de todos os sentimentos honestos. Muito obrigado! Permito-me responder fazendo esta pergunta: "Nós nos tornamos verdadeiramente mais morais?" O fato de todos acreditarem nisso já é uma prova em contrário... Nós, homens modernos, muito delicados, muito suscetíveis, obedecendo a centenas de considerações diferentes, imaginamos, com efeito, que esses ternos sentimentos de humanidade que representamos, que essa unanimidade adquirida na indulgência, na disposição em ajudar, na confiança recíproca, são um progresso real e que por isso estamos muito acima dos homens do Renascimento. Mas toda época pensa da mesma maneira, é necessário que pense assim. É certo que não ousaríamos nos colocar nas condições do Renascimento, que não ousaríamos sequer conceber-nos nele: nossos nervos não suportariam semelhante realidade, para não falar de nossos músculos. Essa impotência não prova em absoluto o progresso, mas uma constituição diferente e mais tardia, mais fraca, mais delicada e mais suscetível, de onde surge necessariamente uma moral cheia de considerações. Afastemos em pensamento nossa delicadeza e nosso retardamento, nossa senilidade fisiológica e nossa moral de "humanização" perde logo seu valor, em si nenhuma moral tem valor, de tal modo que a nós mesmos inspiraria desprezo. Por outro lado, não duvidemos que nós, os modernos, com nosso humanitarismo cuidadosamente acolchoado, que teme até tropeçar numa pedra, teríamos oferecido aos contemporâneos de César Bórgia uma comédia que os faria morrer de rir. Com efeito, com nossas "virtudes" modernas, somos ridículos além de toda média... A diminuição dos instintos hostis e que mantêm a desconfiança alerta, e esse seria em todo caso nosso "progresso", não representa senão uma das consequências da diminuição geral da vitalidade: isso custa cem vezes mais trabalho, mais precauções para chegar a uma existência tão dependente e tão tardia. Em vista disso, se auxiliam mutuamente, cada um é, mais ou menos, doente e enfermeiro. Isso se chama "virtude": entre os homens que conheceram uma vida diferente, uma vida mais abundante, mais pródiga, mais exuberante, a teriam chamado de outra forma: talvez "covardia", "baixeza", "moral de mulher velha"... Nossa suavização dos costumes — essa é minha ideia, essa se for aceita minha inovação, é uma consequência de nosso enfraquecimento; a dureza e a atrocidade dos costumes podem ser, ao contrário, efeito de uma superabundância de vida. De fato, então se pode arriscar muito, enfrentar muito e também dissipar muito. O que antes era o sal da vida, seria para nós um veneno... Para sermos indiferentes, pois isso também é uma forma da força, somos igualmente demasiado velhos e chegamos demasiado tarde: nossa moral de compaixão, contra a qual fui o primeiro a colocar de sobreaviso, esse estado de espírito que se poderia chamar de impressionismo moral, é antes uma expressão da superexcitabilidade fisiológica própria a tudo o que é decadente. Esse movimento, que na *moral de piedade scho*penhaueriana tentou apresentar-se com uma característica científica, tentativa muito infeliz, é o movimento próprio da decadência na moral e como tal tem parentesco muito próximo com a moral cristã. As épocas vigorosas, as culturas nobres viram na compaixão, no "amor ao próximo", na falta de egoísmo e de independência, alguma coisa de desprezível. É necessário medir as épocas segundo suas forças positivas e, fazendo desse modo, essa época da Renascença, tão pródiga e tão rica em fatalidade, aparece como a última grande época, e nós, os homens modernos, com nossa ansiosa previsão pessoal e nosso amor ao próximo, com nossas virtudes de trabalho, de simplicidade, de equidade e de exatidão — nosso espírito colecionador, econômico e maquinal —, vivemos numa época de fraqueza. Essa fraqueza produz e exige nossas virtudes... A "igualdade", certa assimilação efetiva que só faz manifestar-se na teoria dos "direitos iguais", pertence essencialmente a uma civilização descendente: o abismo entre homem e homem, entre classe e outra, a multiplicidade dos tipos, a vontade de ser cada si mesmo, de distinguir-se, o que designo de *pathos* das distâncias é o que é próprio de todas as épocas fortes. A expansividade, a tensão entre os extremos é cada dia menor, os próprios extremos se apagam até a analogia... Todas as nossas teorias políticas e as constituições de nossos Estados, sem excetuar o "império alemão", são consequências, necessidades lógicas da degenerescência; a ação inconsciente da decadência chegou a dominar até no ideal de certas ciências específicas. Contra toda a sociologia da Inglaterra e da França faço a mesma objeção: ela não conhece por experiência senão os produtos de decomposição da sociedade e toma, de forma totalmente inocente aliás, seus próprios instintos de decomposição como norma dos juízos sociológicos. A vida em declínio, a diminuição de todas as forças organizadoras, isto é, de todas as forças que separam, que abrem abismos, que subordinam e superordenam, aí está o que hoje se formula como ideal em sociologia... Nossos socialistas são decadentes, mas Herbert Spencer também é um decadente, ele vê no triunfo do altruísmo alguma coisa de desejável!...

38

Meu conceito de liberdade. — O valor de uma coisa reside às vezes não no que se ganha ao obtê-la, mas no que se paga para adquiri-la, naquilo que custa. Cito um exemplo. As instituições liberais deixam de ser liberais tão logo são adquiridas: não há, na sequência, nada tão radicalmente nocivo para a liberdade como as instituições liberais. Já se sabe para aonde conduzem: minam surdamente a vontade de potência, são o nivelamento da montanha e do vale erigido em moral, tornam o homem pequeno, covarde e ávido de prazeres — o triunfo dos animais de rebanho as acompanha sempre. Liberalismo: dito de outra forma, embrutecimento por rebanhos... As mesmas instituições, enquanto se deve lutar por elas, produzem consequências bem diferentes; favorecem então, de uma maneira poderosa, o desenvolvimento da liberdade. Olhando-se mais de perto, percebe-se que é a guerra que produz esses efeitos, a guerra pelos instintos liberais, que, enquanto guerra, deixa subsistir os instintos antiliberais. A guerra educa para a liberdade. De fato, o que é a liberdade? É ter a vontade de responder por si; é manter as distâncias que nos separam; é ser indiferente às amarguras, às asperezas, às privações, à própria vida; é estar pronto a sacrificar os homens por sua própria causa, sem excetuar-se a si mesmo. Liberdade significa que os instintos viris, os alegres instintos de guerra e de vitória predominam sobre todos os outros instintos, por exemplo, sobre aqueles da "felicidade". O homem tornado livre, mais ainda o espírito tornado livre, calca com os pés essa espécie de bem-estar desprezível com que sonham os merceeiros, os cristãos, as vacas, as mulheres, os ingleses e outros democratas. O homem livre é guerreiro. Como se mede a liberdade nos indivíduos e nos povos? Pela existência que cumpre vencer, pelo trabalho que custa para chegar ao alto. O tipo mais elevado do homem livre deve ser procurado ali, onde é preciso vencer constantemente uma resistência mais dura: a cinco passos da tirania, à soleira do perigo da escravidão. Isso é fisiologicamente verdadeiro se se entende por "tirania" instintos terríveis e implacáveis que provocam contra eles o máximo de autoridade e de disciplina; o mais belo tipo dessa classe é Júlio César , e também é verdadeiro politicamente, basta percorrer a história. Os povos que tiveram algum valor, que conquistaram algum valor, não o conquistaram com instituições liberais: o grande perigo fez deles alguma coisa que merece respeito, esse perigo que é o único que nos leva a conhecer nossos recursos, nossas virtudes, nossos meios de defesa, nosso espírito, que nos obriga a sermos fortes... Primeiro princípio: é preciso ter necessidade de ser forte, caso contrário, nunca se chega a sê-lo. Essas grandes escolas, verdadeiras estufas quentes para os homens fortes, para a mais forte espécie de homens que jamais houve, as sociedades aristocráticas à moda de Roma e Veneza, entenderam a liberdade exatamente no mesmo sentido que eu a entendo: como alguma coisa que ao mesmo tempo se tem e não se tem, que se *quer*, que se conquista...

39

Crítica da modernidade. — Nossas instituições não valem mais nada: nisso todos concordam. Entretanto, a culpa não é delas, mas nossa. Como todos os instintos dos quais provieram, as instituições se extraviaram, essas, por sua vez, nos escapam porque não nos adaptamos a elas. Em todas as épocas, o democratismo constituiu a forma de decomposição da força organizadora. Em meu livro *Humano, demasiado humano* (I, 318) já caracterizei, como uma forma de decadência da força organizadora, a democracia moderna e seus paliativos, como o "império alemão". Para que haja instituições, é necessário que haja uma espécie de vontade, de instinto, de imperativo antiliberal até a maldade; uma vontade de tradição, de autoridade, de responsabilidade, estabelecida pelos séculos, de solidariedade encadeada através dos séculos, do passado ao futuro, *in infinitum*. Quando essa vontade existe, funda-se algo como o *imperium Romanum* ou como a Rússia, a única potência que tem hoje a esperança de alguma duração, que pode esperar, que pode ainda prometer algo — a Rússia, a ideia contrária da miserável mania dos pequenos Estados europeus, da nervosidade europeia que entrou em seu período crítico com a fundação do império alemão... Todo o Ocidente não tem mais esses instintos, dos quais nascem as instituições, dos quais nasce o futuro: nada está talvez em oposição mais absoluta ao seu "espírito moderno". Vive-se o momento, vive-se muito depressa — vive-se sem nenhuma responsabilidade: é precisamente o que se chama "liberdade". Tudo o que faz com que as instituições sejam instituições é desprezado, odiado, rejeitado: acredita-se que se está novamente em perigo de escravidão mal a palavra autoridade é pronunciada. A decadência no instinto de avaliação de nossos políticos, de nossos partidos políticos, chega até a preferir instintivamente o que decompõe, o que apressa o fim...

Testemunha disso é o matrimônio moderno. Aparentemente perdeu toda sua razão de ser: entretanto, isso não é uma objeção contra o matrimônio, mas contra a modernidade. A razão do matrimônio residia na responsabilidade exclusiva do homem: dessa maneira havia um elemento preponderante no matrimônio, enquanto que hoje anda coxo das duas pernas. A razão do matrimônio residia no princípio de sua indissolubilidade:

isso lhe conferia um caráter que, diante do acaso dos sentimentos e das paixões, dos impulsos do momento, sabia fazer-se escutar. Residia também na responsabilidade das famílias quanto à escolha dos esposos. Com essa indulgência crescente pelo matrimônio por amor foram eliminadas as próprias bases do matrimônio e tudo o que o erigia em instituição. Jamais, jamais mesmo, se funda uma instituição sobre uma idiossincrasia; repito, não se pode fundar o casamento no "amor", deve fundar-se no instinto da espécie, no instinto de propriedade (a mulher e os filhos enquanto propriedade), no instinto da dominação que sem cessar se organiza na família como pequena soberania, que tem necessidade dos filhos e dos herdeiros para se manter, fisiologicamente também, na medida adquirida de poder, de influência, de riqueza, para preparar missões amplas, uma solidariedade de instinto nos séculos. O matrimônio, enquanto instituição, já contém a afirmação da forma de organização maior e mais duradoura: se a sociedade, considerada como um todo, não pode dar caução de si mesma até as gerações mais remotas, o matrimônio é completamente desprovido de sentido. O casamento moderno perdeu sua significação, por conseguinte, está sendo abolido.

40

A questão operária. — É a estupidez, ou melhor, a degenerescência do instinto que é a causa de todas as asneiras que faz com que haja uma questão operária. Há certas coisas a respeito das quais não se questiona: primeiro imperativo do instinto. Não vejo em absoluto o que se quer fazer do operário europeu, depois de ter feito dele uma questão. Ele se encontra numa situação privilegiada para não "questionar" sempre mais e sempre com mais presunção. Em última instância, tem a seu favor o grande número. É necessário renunciar completamente à esperança de ver desenvolver-se uma espécie de homem modesto e frugal, uma classe que correspondesse ao tipo do chinês: isso teria sido razoável e teria simplesmente respondido a uma necessidade. E o que se fez? Precisamente para aniquilar em seu germe a própria condição de semelhante estado de coisas, com um imperdoável desatino se destruiu em seus germes os instintos que tornam os trabalhadores possíveis como classe, que lhes fariam admitir a si mesmos essa possibilidade. O operário foi tornado apto para o serviço militar, foi concedido a ele o direito de coalização, o direito e voto político: o que há nisso de estranho se sua existência lhe parece hoje uma calamidade (para falar na linguagem da moral, uma injustiça)? Mas o que se pretende? Continuo a perguntar. Se se aspira atingir um objetivo, deve-se aspirar também aos meios: se se quiser escravos, é loucura outorgar-lhes o que os converte em patrões.

41

"Liberdade, liberdade... "não" amada!..." — Estar entregue a seus instintos numa época como a nossa é uma fatalidade a mais. Esses instintos se contradizem, se estorvam e se destroem reciprocamente. A definição do moderno me parece ser a contradição fisiológica de si mesmo. A razão da educação exigiria que, sob uma opressão férrea, um desses sistemas de instintos fosse pelo menos paralisado, para permitir a outro manifestar sua força, tornar-se vigoroso, tornar-se amo. Hoje não se poderia tornar o indivíduo possível a não ser circunscrevendo-o — possível, quero dizer, *inteiro*... É o contrário que ocorre; a aspiração à independência, ao livre desenvolvimento, ao *laisser-aller* é levantada com mais calor, precisamente por aqueles para os quais nenhum freio seria bastante severo, isso é verdade *in politics*, isso é verdade na arte. Mas isso é um sintoma de decadência: nosso conceito moderno da "liberdade" é uma prova a mais da degenerescência dos instintos.

42

Onde a fé é necessária. — Nada é mais raro entre os moralistas e os santos que a probidade; talvez digam o contrário, talvez eles próprios o creiam. De fato, quando uma fé é mais útil, mais convincente, quando produz mais efeito que a hipocrisia consciente e mais instinto, a hipocrisia se torna logo inocente: primeiro princípio para compreender os grandes santos. O mesmo ocorre com os filósofos, outra espécie de santos; é uma consequência de seu ofício autorizar apenas certas verdades: quero dizer, aquelas pelas quais seu ofício obtém a sanção pública ou, para falar a linguagem de Kant, as verdades da razão prática. Sabem o que devem demonstrar, no que são práticos, reconhecem entre si com isso que estão de acordo acerca das "verdades". "Não deves mentir." Dito em outros termos: "Senhor filósofo, evite realmente dizer a verdade"...

43

A dizer no ouvido dos conservadores — O que não se sabia outrora, o que se sabe hoje, o que se poderá saber é que uma formação para trás, uma regressão, num sentido qualquer, num grau qualquer, não é de modo algum possível. É ao menos, o que nós sabemos, nós, os fisiologistas. Mas todos os sacerdotes e todos os moralistas acreditaram nisso, quiseram levar a humanidade a uma medida anterior de virtude, dar uma espécie de passo para trás. A moral foi sempre um leito de Procusto. Até mesmo os políticos imitaram nisso os pregadores da virtude: ainda há hoje partidos que sonham em fazer com que as coisas caminhem para trás como os caranguejos. Mas ninguém é livre para ser caranguejo. Não é possível: é preciso ir para frente, isto é, avançar passo a passo mais adiante para a decadência (essa é minha definição do "progresso" moderno...). Pode-se pôr obstáculos a esse desenvolvimento e, ao travá-lo, criar uma ressurreição da degenerescência, concentrá-la, torná-la mais veemente e mais repentina: aí está tudo o que se pode fazer.

44

Meu conceito do gênio. — Os grandes homens são como as grandes épocas — matérias explosivas, enormes acumulações de forças; histórica e fisiologicamente, sua condição primeira é sempre a longa espera de sua vinda, uma preparação, um arqueamento sobre si mesmo, isto é, que durante muito tempo não se tenha produzido nenhuma explosão. Quando a tensão na massa se torna muito grande, a mais fortuita irritação basta para recorrer no mundo ao "gênio", à "ação", ao grande destino. Que importam então o meio, a época, o "espírito do século", a "opinião pública"! Tomemos o caso de Napoleão. A França da Revolução, e mais ainda a França que preparou a Revolução, devia por si mesma gerar o tipo mais oposto ao de Napoleão e, de fato, o gerou. Como Napoleão era diferente, herdeiro de uma civilização mais forte, mais constante, mais antiga que aquela que na França ia se evaporando e esmigalhando, ele foi o senhor, o único a ser nela o senhor. Os grandes homens são necessários, a época em que aparecem é fortuita; quase sempre se tornam senhores, e se deve ao fato de serem mais fortes, mais velhos, ao fato de representarem uma acumulação mais longa de elementos. Entre um gênio e seu tempo existe a relação como subsiste entre o forte e o fraco, entre o velho e o jovem. O tempo é sempre relativamente mais jovem, mais leve, menos emancipado, mais flutuante, mais infantil. Que hoje se pense de forma totalmente diversa na França (e na Alemanha também, mas lá isso não tem importância), que a teoria do meio, verdadeira teoria de neurastênicos, tenha chegado a ser considerada sacrossanta e encontre crédito entre os fisiologistas, é coisa, para nós, que não "cheira bem", que nos inspira tristes pensamentos. Na Inglaterra não é entendida tampouco de forma diferente, mas isso não chega a preocupar ninguém. O inglês tem dois caminhos abertos para se acomodar ao gênio e ao "grande homem": a via democrática no estilo de Buckle e a via religiosa ao modo de Carlyle. O perigo que há nos grandes homens e nas grandes épocas é imenso; o esgotamento sob todas as formas, a esterilidade os segue passo a passo. O grande homem é um final; a grande época, o Renascimento, por exemplo, é um final. O gênio, em obra e em ação, é necessariamente esbanjador: sua grandeza exige que esbanje... O instinto de conservação fica, de algum modo, suspenso; a pressão suprema das forças radiantes lhe impede qualquer tipo de precaução e de prudência. Chama-se a isso "sacrifício", elogia-se seu "heroísmo", sua indiferença em relação a seu próprio bem, sua abnegação por uma ideia, por uma grande causa, uma pátria: tudo isso não passa de mal-entendidos... Ele transborda, se difunde, esbanja, prescinde de si fatalmente, irrevogável e involuntariamente, precisamente como a irrupção de um rio para, além de suas margens, é involuntária. Mas como devemos muito a esses explosivos, foram gratificados, em contrapartida, com muitas coisas, por exemplo, com uma espécie de moral superior... Esse é o agradecimento da humanidade: entende seus benfeitores em sentido contrário.

45

O criminoso e seus congêneres. — O tipo criminoso é o tipo do homem forte colocado em condições desfavoráveis, o homem forte tornado doente. Necessitaria viver numa região selvagem, numa natureza e numa forma de vida mais livre e mais perigosa, onde subsiste de direito tudo aquilo que, no instinto do homem forte, constitui sua arma e sua defesa. Suas virtudes são proscritas pela sociedade: os instintos mais vivazes que traz ao nascer se confundem em seguida com as ações depressivas, com a suspeita, o medo, a desonra. Mas essa é quase a fórmula da degenerescência fisiológica. Aquele que se vê obrigado a fazer secretamente o que faria melhor, o que prefere, secretamente e com uma longa tensão, com precaução e com astúcia, se torna anêmico; e como seus instintos só o levam a colher perigos, perseguição, catástrofes, sua sensibilidade volta-se contra seus instintos, e ele se julga presa da fatalidade. É em nossa sociedade dócil, medíocre, castrada, que um homem próximo da natureza, que vem da montanha ou das aventuras do mar, degenera fatalmente em criminoso. Ou quase fatalmente, pois há casos em que um homem desse gênero resulta mais forte que a sociedade: o corso Napoleão é o exemplo mais célebre.

Para o problema que aqui se apresenta, o testemunho de Dostoiévski tem importância — Dostoiévski, o único psicólogo, diga-se de passagem, de quem aprendi alguma coisa; faz parte dos acasos mais felizes de minha vida, mais ainda que a descoberta de Stendhal. Esse homem profundo, que tinha razão de sobra para fazer pouco desse povo superficial como são os alemães, viveu muito tempo entre os condenados a trabalhos forçados da Sibéria e teve desses verdadeiros criminosos, para os quais não havia retorno possível na sociedade, uma impressão totalmente diferente da que esperava, pareceram-lhe talhados da melhor madeira que existe na terra russa, da madeira mais dura e mais preciosa.

Generalizemos o caso do criminoso: imaginemos caracteres que, por uma razão qualquer, não obtêm a sanção pública, que sabem que não são considerados nem como benfazejos nem como úteis, sentimento do chandala que não se sente considerado como igual, mas como se fosse réprobo, indigno, sujo. Em todos esses caracteres, os pensamentos e os atos são iluminados por uma luz subterrânea; para eles, todas as coisas assumem uma coloração mais pálida do que para aqueles que a luz do dia ilumina. Mas quase todas as formas de existência que hoje tratamos com distinção, viveram outrora nessa atmosfera meio sepulcral: o homem de ciência, o artista, o gênio, o espírito livre, o comediante, o comerciante, o grande explorador... Enquanto prevaleceu o sacerdote como tipo superior, toda espécie de homem de valor foi desprezada... Aproximam-se tempos, posso assegurar, em que o sacerdote será considerado como o ser mais baixo, mais mentiroso e mais indecente, como nosso chandala... Observem como ainda agora, com os costumes mais suaves que já existiram no mundo, pelo menos na Europa, tudo o que vive separado, tudo que está há muito tempo, demasiado tempo por baixo, toda forma de existência impenetrável e que se exclui do costumeiro, se aproxima desse tipo que culmina no criminoso. Todos os inovadores do espírito levam na testa, por algum tempo, o sinal pálido e fatal do chandala; não porque sejam considerados assim, mas porque eles próprios sentem o terrível abismo que os separa de tudo aquilo que é tradicional e venerado. Quase todo gênio conhece, como uma fase de seu desenvolvimento, a "existência catilinária", sentimento de ódio, de vingança e de revolta contra tudo o que já *existe*, contra tudo o que não se torna mais... Catilina — a forma preexistente de todo César.

46

Aqui a vista é livre. — Talvez seja por elevação de alma sempre que um filósofo se cala; talvez por amor, quando se contradiz; aquele que procura o conhecimento é capaz de uma cortesia que pode induzi-lo a mentir. Não foi sem fineza que alguém disse: É indigno dos grandes corações demonstrar a perturbação que os invade. Mas é preciso acrescentar que não ter medo do mais indigno pode ser igualmente grandeza de alma. Uma mulher apaixonada sacrifica sua honra; um filósofo que "ama" sacrifica talvez sua humanidade; um Deus que amou se fez judeu...

47

A beleza não é um acidente. — A beleza de uma raça, de uma família, sua graça, sua perfeição em todos os gestos é adquirida penosamente: é, como o gênio, o resultado final do trabalho acumulado das gerações. Deve-se ter sacrificado muito o bom gosto, por causa dele ter feito e evitado muitas coisas; o século XVII na França é digno de admiração sob esse aspecto — havia então um princípio de seleção da sociedade, do meio, do vestuário, das satisfações sexuais; devia-se preferir a beleza à utilidade, ao hábito, à opinião, à preguiça. Regra superior: ninguém deve "deixar a coisa correr", mesmo com relação a si mesmo. As coisas boas custam muito caro e sempre prevalece a lei que aquele que as tem é diferente daquele que as adquire. Tudo o que é bom é herança; o que não é herdado é imperfeito, não é mais que um começo... Em Atenas, na época de Cícero, que se assombrava com isso, os homens e os jovens eram muito superiores em beleza às mulheres: mas também quanto trabalho e quanto esforço a serviço da beleza não se tinha imposto a si mesmo o sexo masculino havia séculos! Entretanto, não se deve ter ilusões em relação ao método empregado: uma simples disciplina de sentimentos e de pensamentos tem um resultado quase nulo (essa é a grande falha da educação alemã que é completamente ilusória). É o corpo que deve ser persuadido precisamente primeiro. A observância rigorosa das atitudes elegantes e seletas, a obrigação de viver apenas com homens que "não se deixam levar" é absolutamente suficiente para se tornar distinto e eminente; em duas ou três gerações a obra já lançou raízes profundas. Isso decide a sorte dos povos e da humanidade se a cultura começa pelo ponto correto — não pela "alma" (como foi a superstição funesta dos padres e semipadres), mas pelo corpo, pelas atitudes, pelo regime físico, a fisiologia: o *resto* é uma decorrência... Os gregos foram a esse respeito o primeir*o acontecimento de cultura na história* — souberam e fizeram o que era necessário; o cristianismo, que desprezava o corpo, tem sido até agora a maior calamidade da humanidade.

48

O progresso na minha opinião. — Também eu falo de um "retorno à natureza", embora não se trate propriamente de um retorno para trás, mas uma caminhada para a frente e para o alto, para a natureza sublime, livre e mesmo terrível, que brinca, que tem o direito de brincar com os grandes destinos... Para falar em símbolo: Napoleão foi um exemplo desse "retorno à natureza" como o entendo (*in rebus tacticis* e, mais ainda, como sabem os militares, em questões estratégicas). Mas Rousseau — aonde queria realmente chegar? Rousseau, esse primeiro homem moderno, idealista e canalha numa só pessoa, que tinha necessidade da "dignidade moral" para suportar seu próprio aspecto, doente de um orgulho desenfreado, de um desprezo desenfreado contra si mesmo. Esse aborto que acampou no umbral dos novos tempos, também ele queria o "retorno à natureza" — mais uma vez, aonde queria chegar? Odeio ainda Rousseau na revolução que é a expressão histórica desse ser de duas caras, idealista e canalha. A sangrenta farsa que se representou então, a "imoralidade" da revolução, tudo isso não faz diferença para mim; o que abomino é sua *moralidade* à moda Rosseau — as supostas "verdades" da revolução, por meio das quais ainda exerce sua ação e sua persuasão sobre tudo o que é vulgar e medíocre. A doutrina da igualdade!... Mas não há veneno mais venenoso, pois parece pregado pela própria justiça, quando é a ruína de toda justiça... "Para os iguais, igualdade; para os desiguais, desigualdade — essa deveria ser a linguagem de toda justiça; e, o que se segue necessariamente, seria de jamais igualar as desigualdades." Em torno dessa doutrina da igualdade se desenrolaram tantas cenas horríveis e sangrentas, que lhe ficou, a essa "ideia moderna" *por* excelência, uma espécie de glória e de auréola, até o ponto em que a Revolução, por seu espetáculo, extraviou até os espíritos mais nobres. Isso não é razão para lhe prestar maior estima. Só conheço um que a sentiu como devia ser sentida — com aversão —, Goethe...

49

Goethe. — Acontecimento, não alemão, mas europeu: tentativa grandiosa de vencer o século XVIII por um retorno ao estado de natureza, por um esforço para elevar-se à naturalidade do Renascimento, por uma espécie de constrangimento exercido sobre si mesmo por nosso século. Goethe trazia em si os instintos mais fortes: o sentimentalismo, a idolatria da natureza, o anti-historicismo, o idealismo, o irreal e a tendência revolucionária (esse aspecto revolucionário é apenas uma das formas do irreal). Recorreu à história, às ciências naturais, bem como a Spinoza, mas acima de tudo à atividade prática; cercou-se de horizontes bem definidos; longe de se afastar da vida, nela mergulhou; não foi pusilânime e, quanto possível, aceitou todas as responsabilidades. O que queria era a totalidade; combateu a separação entre a razão e a sensualidade, entre o sentimento e a vontade (pregada na mais repulsiva das escolásticas por Kant, o antípoda de Goethe); disciplinou-se para atingir o ser integral; ele se fez a si mesmo... Goethe, no meio de uma época de sentimentos irreais, era um realista convicto; reconhecia tudo aquilo que nesse ponto tinha algum parentesco com ele; não teve em sua vida maior acontecimento que esse *ens realissimum* chamado Napoleão. Goethe concebia um homem forte, muito culto, hábil em todas as coisas da vida física, mantendo-se ele mesmo sob controle, tendo o respeito de sua própria individualidade, podendo arriscar-se em usufruir plenamente do natural em toda a sua riqueza e em toda a sua extensão, bastante forte para a liberdade; homem tolerante, não por fraqueza, mas por força, porque sabe ainda tirar vantagem do que seria a ruína dos homens medianos; homem para o qual não há mais nada de proibido, salvo pelo menos a fraqueza, chamada vício ou virtude... Semelhante espírito liberado aparece no centro do Universo, num fatalismo feliz e confiante, com a convicção de que não há nada de condenável além daquilo que existe isoladamente e que, no conjunto, tudo se resolve e se afirma. Não nega mais... Essa fé é a mais elevada de todas as fés possíveis. Eu a batizei com o nome de Dionísio.

50

Poderia dizer que, em certo sentido, o século XIX se esforçou em alcançar tudo o que Goethe havia tentado alcançar pessoalmente: uma universalidade que compreende e que admite tudo, uma tendência a dar acesso a todos, um ousado realismo, um respeito ao fato. Como explicar que o resultado total não tenha sido um Goethe, mas um caos, um suspiro niilista, uma confusão em que não se sabe onde bater com cabeça, um instinto de esgotamento que impele continuamente na prática ao retorno do século XVIII? (Por exemplo, sob a forma de sentimento romântico, de altruísmo, de hipersentimentalismo, de feminismo no gosto, de socialismo na política.) O século XIX não será, ao terminar, senão um século XVIII reforçado e endurecido, dito de outra forma, um século de decadência? De tal modo que, não só para a Alemanha, mas para toda Europa, Goethe não teria sido senão um incidente, uma bela inutilidade? Mas seria desconhecer os grandes homens, se esses forem considerados sob a perspectiva miserável de uma utilidade pública. Não poder tirar disso nenhum proveito é talvez o adequado até mesmo para a grandeza...

51

Goethe é o último alemão, frente ao qual tenho veneração: ele teria sentido três coisas, que também senti. Nos entendemos em relação à "cruz"... As pessoas me perguntam frequentemente, por que afinal escrevo em alemão: em lugar algum fui tão mal lido quanto na terra pátria. Mas quem sabe por fim, se nem mesmo desejo ser lido hoje? Criar coisas nas quais o tempo aplica em vão seus dentes; segundo a forma e a substância estar empenhado em uma pequena imortalidade — nunca fui modesto o suficiente para exigir de mim menos do que isto. O aforismo, a sentença, nas quais sou o primeiro mestre dentre os alemães, são as formas da "eternidade"; minha ambição é dizer em dez frases, o que qualquer um outro diz em um livro — o que qualquer outro não diz em um livro... Eu dei à humanidade o livro mais profundo que ela possui, o meu Zaratustra; eu lhe darei em breve o livro mais independente.

O QUE DEVO AOS ANTIGOS

1

Por fim uma palavra sobre aquele mundo, ao qual busquei acessos, ao qual talvez tenha encontrado um novo acesso: o mundo antigo. Meu gosto, que pode bem ser o contrário de um gosto tolerante, também está longe aqui de dizer sim em bloco: ele não gosta absolutamente de dizer sim, de preferência ainda um não, na melhor das hipóteses não diz nada... Isto vale em relação a culturas como um todo, isto vale em relação a livros — vale também para lugares e paisagens. No fundo há um número muito pequeno de livros antigos, que contam em minha vida; os mais célebres não se encontram entre eles. Meu sentido para o estilo, para o epigrama enquanto estilo, despertou quase instantaneamente ao contato com Salustio. Eu não esqueço o espanto de meu honrado professor Corssen, quando precisou dar ao seu pior aluno de latim a melhor nota, de uma tacada só estava pronto. Conciso, rigoroso, com tanta substância quanto possível por fundamento, uma malícia fria contra a "bela palavra", também contra o "belo sentimento" — nisso desvendei a mim mesmo. Se reconhecerá em mim, até no meu Zaratustra, uma ambição muito séria pelo estilo romano, pelo "aere perennius" no estilo. Não de modo diverso se passaram as coisas para mim em meio ao primeiro contato com Horácio. Até hoje nunca tive em nenhum outro poeta o mesmo encanto artístico que me foi dado desde o princípio pelas *Ode* de Horácio. Em certas línguas, não se deve sequer querer o que aqui é alcançado.

Esse mosaico de palavras, no qual cada palavra espraia sua força enquanto som, enquanto lugar, enquanto conceito, para a direita e para a esquerda e por sobre o todo; esse *minimum* em abrangência e em número de signos, esse *maximum* de energia dos signos com isso intentado. Tudo isso é romano, e, se quiserem acreditar em mim, nobre por excelência. Todo o resto da poesia torna-se inversamente algo por demais popular — um mero falatório sentimental...

2

Aos gregos não devo absolutamente nenhuma impressão intensa aparentada; e, para proferi-lo diretamente, eles não podem ser para nós o que os romanos são. Não se aprende dos gregos — seu modo de ser é demasiado estranho, ele também é demasiado fluido para atuar imperativamente, "classicamente". Quem teria aprendido a escrever junto a um grego! Quem o teria aprendido sem os romanos!... Que não venham para mim com uma objeção chamada Platão. Em relação a Platão sou um cético fundamental e nunca estive em condições de concordar com a admiração ao artista Platão, uma admiração que é corrente entre os eruditos. Por fim, tenho ao meu lado o juiz de gosto mais refinado dentre os antigos. Tal como me parece, Platão mistura confusamente todas as formas do estilo, ele é com isso o primeiro decadente do estilo: ele traz consigo marcado na sua consciência algo similar aos cínicos, que inventaram a *Sátira Menipeia*. Para que o diálogo platônico, essa espécie repulsivamente presunçosa e infantil de dialética, possa atuar enquanto estímulo, é preciso que nunca se tenha lido bons franceses — Fontenelle, por exemplo.

Platão é entediante. — Por fim, minha desconfiança junto a Platão vai até o fundo. Eu o considero tão desviado de todos os instintos fundamentais dos helenos, tão moralizado, tão cristão — anteriormente ao cristianismo ele já tinha o conceito de "bom" enquanto conceito supremo —, que gostaria de utilizar em relação a todo o fenômeno Platão a dura expressão: "o mais alto embuste", ou, se se preferir escutar, mais do que qualquer outra palavra, o mais alto Idealismo. Pagou-se caro pelo fato desse ateniense ter estudado com os egípcios (ou com os judeus no Egito?)... Em meio à grande fatalidade do cristianismo, Platão é essa fascinação dúbia chamada "Ideal", que tornou possível para as naturezas nobres da antiguidade compreenderem mal a si mesmas e pôr os pés sobre a ponte que conduziu até a "cruz"... E o quanto de Platão há ainda no conceito "Igreja", na construção, no sistema, na práxis da Igreja! Meu descanso, minha predileção, minha cura de todo platonismo sempre foi Tucídides. Tucídides, e, talvez, o Príncipe de Maquiavel são maximamente aparentados comigo mesmo através da vontade incondicionada de não se deixar engambelar e de considerar a razão na realidade, não na "razão", menos ainda na "moral"... Nada cura a lastimável utilização de tons pastéis por parte dos gregos, sob a roupagem de ideal, que o jovem "classicamente formado" carrega na vida como recompensa por sua aplicação no colégio, nada cura tão fundamentalmente quanto Tucídides. É preciso virá-lo de cabeça para baixo linha por linha e decifrar tão distintamente os seus pensamentos implícitos quanto as suas palavras: existem poucos pensadores tão ricos em pensamentos implícitos. Nele a cultura dos sofistas, quer dizer, a cultura dos realistas, alcançou a sua expressão plena: um movimento inestimável em meio ao embuste moral e ideal, que irrompia por toda parte, da escola socrática.

A filosofia grega é a decadência dos instintos antigos. Tucídides é a grande soma, a última revelação daquela facticidade forte, rigorosa, dura, que residia nos instintos dos antigos helenos. A coragem frente à realidade diferencia por fim tais naturezas como Tucídides e Platão: Platão é um covarde diante da realidade, consequentemente, ele se refugia no ideal; Tucídides tem a si mesmo sob controle, por conseguinte mantém também as coisas sob controle...

3

Arrepiar-se diante dos gregos em virtude de suas "belas almas", suas "medidas plenas" e outras perfeições; admirar mais ou menos neles a calma em meio à grandeza, a meditação ideal, a elevada ingenuidade — contra esta "elevada ingenuidade", em última instância contra uma *niaiserie allemande* (tolice alemã) —, disso fui protegido pelo psicólogo que trazia em mim. Vi seu instinto maximamente intenso e a vontade de potência; os vi tremer frente à violência indómita desse impulso — vi todas as suas instituições crescerem a partir de regras e medidas de segurança, para se assegurarem uns em relação aos outros contra seu material explosivo intrínseco. A monstruosa tensão na interioridade descarregou-se então em uma inimizade terrível e brutal contra a exterioridade: as comunidades citadinas dilaceraram-se entre si, para que os cidadãos de cada uma delas em particular pudessem encontrar paz diante de si mesmo. Tinha-se necessidade de ser forte: o perigo estava por perto — ele estava por toda parte à espreita. A corporeidade exuberantemente flexível, o realismo e o imoralismo temerários, que eram próprios aos helenos, foram uma necessidade, não uma "natureza". Ele sucedeu primeiramente, ele não estava desde o princípio aí. Com festas e artes não se queria outra coisa senão se sentir por cima, se mostrar por cima: eram meios de glorificar a si mesmo. Em certas circunstâncias o que se queria era provocar medo em relação a si mesmo... Julgar os gregos de uma maneira alemã, segundo os seus filósofos, é utilizar a lengalenga dos bons homens da escola socrática enquanto chave para determinar o que é no fundo helênico!... Os filósofos são sim os decadentes do mundo grego, o movimento contrário ao antigo e nobre gosto (contra o instinto agonístico, contra a pólis, contra o valor da raça, contra a autoridade da tradição). As virtudes socráticas foram pregadas, porque elas tinham desaparecido do seio dos gregos: irritadiços, covardes, instáveis, comediantes, todos em conjunto, tinham algumas razões a mais para permitir que a moral lhes fosse pregada. Não que isto tivesse ajudado alguma coisa: mas grandes palavras e atitudes caem muito bem em decadentes...

4

Eu fui o primeiro a, em nome da compreensão daquele instinto mais antigo, daquele instinto helênico ainda rico e transbordante, considerar a sério aquele fenômeno maravilhoso, que carrega o nome de Dioniso: ele só é passível de ser explicado a partir de um excedente de força. Quem segue os rastros dos gregos como, o mais profundo conhecedor de sua cultura, Jacob Burckhardt em Basileia, sabe imediatamente que com isto foi dado um passo decisivo: Burckhardt inseriu em seu livro *Historia de La Cultura Griega* um parágrafo próprio sobre o dito fenômeno. Se quisermos o contraponto, basta olhar para a quase divertida pobreza instintiva dos filólogos alemães, ao se aproximarem do dionisíaco. O célebre Lobeck sobretudo, que, com a louvável segurança de um verme ressequido por entre livros, arrastou-se até o interior desse mundo de estados misteriosos e convenceu-se de ser com isto científico, de modo que foi leviano e infantil até o nojo — Lobeck tornou possível perceber com todo o dispêndio de erudição, que o dionisíaco não possui propriamente nada em comum com todas essas curiosidades.

É de fato possível que os sacerdotes tenham comunicado aos participantes de tais orgias ideias que não são desprovidas de valor: por exemplo, que o vinho estimula o prazer, que o homem vive em certas circunstâncias de frutos, que as plantas florescem na primavera e murcham no outono. No que concerne àquele estranho manancial de ritos, símbolos e mitos de origem orgiástica, pelos quais o mundo antigo é de maneira literalmente coberto, Lobeck encontra nele um motivo para ser arguto ainda um grau além. "Os gregos, ele diz em *Aglaophamus I, 672*, não tinham nada diverso para fazer, então riam, pulavam, perambulavam por aí, ou, já que os homens por vezes também têm vontade disto, se sentavam no chão, choravam e lamentavam-se. Outros vieram então posteriormente juntar-se aí e procuraram uma razão qualquer para o estranho modo de ser; e assim surgiram como esclarecimento daqueles usos inumeráveis sagas festivas e mitos. Do outro lado acreditava-se que aquele movimento pícaro, o qual tinha lugar agora em meio aos dias de festa, pertencia também necessariamente aos festejos, e se retinha-o enquanto uma parte indispensável do culto ao Deus". Isso é falatório desprezível, não se pode levar nem mesmo por um instante Lobeck a sério. De uma forma totalmente diversa isso nos toca, quando provamos o conceito "grego" cunhado por Winckelmann e Goethe, e o achamos incompatível com aquele elemento, a partir do qual a arte dionisíaca cresce — com o orgiástico. Eu não duvido de fato que Goethe tivesse excluído fundamentalmente das possibilidades da alma grega algo desse gênero. Consequentemente, Goethe não entendeu os gregos. Pois somente nos mistérios dionisíacos, na psicologia do estado dionisíaco vem à fala o fato fundamental do instinto helênico — sua "vontade de vida".

Que responsabilidade o heleno assumia com esses mistérios? A vida eterna, o eterno retorno da vida; o futuro prometido e santificado no passado; o sim triunfante à vida para além da morte e da mudança; a vida verdadeira enquanto o prosseguimento conjunto da vida através da geração, através dos mistérios da sexualidade. Para os gregos, o símbolo sexual era por isto mesmo o símbolo mais louvável em si, a verdadeira profundidade do sentido no interior de toda a devoção antiga. Tudo o que há de singular no ato da geração, da gravidez, do nascimento, provocava os sentimentos mais elevados e festivos. Na doutrina dos mistérios, o sofrimento é dito sagrado: as "dores das parturientes" sacralizam o sofrimento em geral — todo "vir-a-ser" e todo crescimento, tudo o que se responsabiliza pelo futuro condiciona o sofrimento... Para que haja o eterno prazer da criação, para que a vontade de vida afirme a si mesma eternamente, é preciso que haja também eternamente o "martírio da parturiente"... Tudo isto significa a palavra Dioniso: não conheço nenhuma simbologia mais elevada do que a simbologia grega, a simbologia das dionisíacas. Nela o instinto mais profundo da vida, o instinto de futuro da vida, de eternidade da vida, é sentido religiosamente — o caminho mesmo até a vida, a procriação, enquanto o caminho sagrado... Somente o cristianismo, com seu ressentimento contra a vida por fundamento, fez da sexualidade algo impuro: ele lançou lama sobre o começo, sobre o pressuposto de nossa vida...

5

A psicologia do orgiástico enquanto uma psicologia de um sentimento de vida e de força transbordante, no interior do qual mesmo o sofrimento atua enquanto um estimulante, me deu a chave para o conceito do sentimento trágico, que foi incompreendido tanto por Aristóteles quanto pelos nossos pessimistas em particular.

A tragédia está tão distante de provar algo quanto ao pessimismo dos helenos no sentido de Schopenhauer, que deve ser considerada, isto sim, a decisiva rejeição e instância contrária dele. O dizer sim à vida, mesmo ainda em seus problemas mais estranhos e mais duros; a vontade de vida, tornando-se alegre de sua própria inesgotabilidade em meio ao sacrifício de seus tipos mais elevados — isso chamei de dionisíaco, isso decifrei como a ponte para a psicologia do poeta trágico. Não para se livrar de pavores e compaixões, não para se purificar de um afeto perigoso através de sua descarga veemente — assim o compreendeu Aristóteles —, mas a fim de, para além de pavor e compaixão, ser por si mesmo o eterno prazer do "vir-a-ser", aquele prazer que também encerra em si ainda o prazer na aniquilação... E com isto toquei novamente o ponto do qual outrora parti. A origem da tragédia foi minha primeira transmutação de todos os valores: com isso me recoloco no terreno onde cresceu meu querer, meu saber — eu, o último discípulo do filósofo Dionísio —, eu, o mestre do eterno retorno...

O MARTELO FALA

Assim falou Zaratustra. III,90

"Por que tão duro!" — falou ao diamante um dia o carvão: não somos afinal parentes próximos?"
Por que tão frágeis? Ó meus irmãos, assim vos pergunto: vós não sois afinal meus irmãos?
Por que tão frágeis, tão prontos a ceder e a amoldar-se? Por que há tanta negação, tanta renegação em vossos corações? Tão pouco destino em vossos olhares? E vós não quereis ser destino e algo inexorável: como poderíeis um dia vencer comigo?
E se as vossas durezas não querem relampejar e cortar e despedaçar: como poderíeis vós criar comigo?
O fato é que todas as pessoas criativas são duras. E isso vos deve parecer ventura: colocar vossas mãos nos séculos como se fossem cera. Ventura de escrever sobre a vontade de milênios como se fossem metal, mais duros que o metal, mais nobres que o metal. Somente o mais duro é o mais nobre.
Esta nova tábua, ó meus irmãos, coloco sobre vossas cabeças: tornai-vos duros!

FIM

**CONFIRA NOSSOS
LANÇAMENTOS AQUI!**

Camelot
EDITORA

CamelotEditora